Ievguêni Zamiátin

Ievguêni Zamiátin
Nós

TRADUÇÃO:
GABRIELA SOARES

ALEPH

NÓS

TÍTULO ORIGINAL:
Мы

COPIDESQUE:
Lucas Simone

REVISÃO:
Júlia Nejelschi
Giselle Moura
Giovana Bomentre

TRADUÇÃO DE PARATEXTOS:
Ana Resende

CAPA:
Butcher Billy

MONTAGEM DE CAPA:
Pedro Fracchetta

PROJETO GRÁFICO:
Pedro Inoue

DIAGRAMAÇÃO:
Desenho Editorial

DIREÇÃO EXECUTIVA:
Betty Fromer

DIREÇÃO EDITORIAL:
Adriano Fromer Piazzi

DIREÇÃO DE CONTEÚDO:
Luciana Fracchetta

EDITORIAL:
Daniel Lameira
Andréa Bergamaschi
Débora Dutra Vieira
Luiza Araujo

COMUNICAÇÃO:
Nathália Bergocce
Júlia Forbes

COMERCIAL:
Giovani das Graças
Lidiana Pessoa
Roberta Saraiva
Gustavo Mendonça
Pâmela Ferreira

FINANCEIRO:
Roberta Martins
Sandro Hannes

TEXTO ORIGINAL EM DOMÍNIO PÚBLICO.
COPYRIGHT © EDITORA ALEPH, 2017
(EDIÇÃO EM LÍNGUA PORTUGUESA PARA O BRASIL)

TODOS OS DIREITOS RESERVADOS. PROIBIDA A REPRODUÇÃO, NO TODO OU EM PARTE, ATRAVÉS DE QUAISQUER MEIOS SEM A DEVIDA AUTORIZAÇÃO.

ИНСТИТУТ ПЕРЕВОДА

AD VERBUM

TRANSLATION OF THIS PUBLICATION AND THE CREATION OF ITS LAYOUT WERE CARRIED OUT WITH THE FINANCIAL SUPPORT OF THE FEDERAL AGENCY FOR PRESS AND MASS COMMUNICATION UNDER THE FEDERAL TARGET PROGRAM "CULTURE OF RUSSIA (2012-2018)".

EDITORA ALEPH
Rua Tabapuã, 81, cj. 134
04533-010 – São Paulo – SP – Brasil
Tel.: [55 11] 3743-3202
www.editoraaleph.com.br

DADOS INTERNACIONAIS DE CATALOGAÇÃO NA PUBLICAÇÃO (CIP) DE ACORDO COM ISBD

Z24n Zamiátin, Ievguêni
   Nós / Ievguêni Zamiátin ; traduzido por Gabriela Soares. - 2. ed. - São Paulo : Aleph, 2021.
   328 p. ; 14cm x 21cm.

   Tradução de: Мы
   ISBN: 978-65-86064-46-9

   1. Literatura russa. 2. Ficção. I. Soares, Gabriela. II. Título.

	CDD 891.7
2021-526	CDU 821.161.1

Elaborado por Vagner Rodolfo da Silva - CRB-8/9410

Índices para catálogo sistemático:
1. Literatura russa 891.7
2. Literatura russa 821.161.1

NOTA DOS EDITORES

Publicado em 1924, um período de crise econômica e atritos políticos, *Nós*, romance distópico de Ievguêni Zamiátin, causou polêmica em seu lançamento – assim como grande parte da obra do autor. Sua primeira publicação foi feita em solo norte-americano, após o romance ser censurado na União Soviética, considerado "ideologicamente indesejável". Em suas páginas, o autor imaginou um governo totalitário chamado Estado Único que, supostamente pelo bem da sociedade, privou a população de direitos fundamentais como o livre-arbítrio, a individualidade, a imaginação, a liberdade de expressão e o direito à própria vida. Um mundo completamente mecanizado e lógico, no qual o Estado dita os horários de trabalho, de lazer, de refeições e até de sexo.

Nós foi a distopia original. A inventividade dessa narrativa, inteligente e irônica, foi a pedra fundamental para outros grandes clássicos do gênero, como *Admirável mundo novo*, de Aldous Huxley; *1984*, de George Orwell; *Fahrenheit 451*, de Ray Bradbury; *Laranja Mecânica*, de Anthony Burgess, e para distopias mais recentes como *Divergente*, de Veronica Roth. Isso, por si só, já torna esta leitura indispensável e fundamental.

Nesta edição inédita, traduzida direto do russo, o leitor encontra duas leituras complementares. A primeira é uma resenha do livro escrita por George Orwell, originalmente publicada na revista londrina *Tribute* em 1946, na qual ele ressalta a ousadia política da publicação e indica alguns dos incontáveis aspectos em que Zamiátin inspirou *Admirável mundo novo*. Há também uma comovente carta enviada pelo autor a Stalin, solicitando permissão para abandonar a União Soviética, onde todas as suas publicações estavam sofrendo perseguição política.

Em tempos como os nossos – e na verdade, em qualquer época na qual este livro existiu –, *Nós* traz uma reflexão necessária. O relato escrito pelo protagonista serve de alerta para as sociedades que o encontrarem e lerem, e nos cabe torcer para que ele seja instrutivo para todos os seus leitores.

1ª ANOTAÇÃO

Resumo:

Uma declaração. A mais sábia das linhas. Um poema.

Eu apenas transcrevo, palavra por palavra, o que foi publicado hoje na Gazeta do Estado:

"Dentro de cento e vinte dias será concluída a construção da INTEGRAL. Um grande momento histórico está próximo, quando a primeira INTEGRAL alçará voo para o espaço. Há mil anos, vossos heroicos antepassados submeteram todo o globo terrestre ao poder do Estado Único. Uma façanha ainda mais gloriosa está pela frente: integrar a infinita equação do universo com a INTEGRAL de vidro, elétrica e que cospe fogo. Espera-se submeter ao jugo benéfico da razão os seres desconhecidos, habitantes de outros planetas, que possivelmente ainda se encontrem em estado selvagem de liberdade. Se não compreenderem que levamos a eles a felicidade matematicamente infalível, o nosso dever é obrigá-los a serem felizes. Mas antes de recorrermos às armas, empregaremos a palavra.

Em nome do Benfeitor anuncia-se a todos os números do Estado Único:

Todos aqueles que se sentirem capazes devem compor tratados, poemas, manifestos, odes e outras obras sobre a beleza e a grandeza do Estado Único.

Este será o primeiro carregamento que a INTEGRAL levará.

Viva o Estado Único! Vivam todos os números! Viva o Benfeitor!".

* * *

Enquanto escrevo isto, sinto minha face arder. Sim: integrar a grandiosa equação do universo. Sim: dissolver a curva selvagem, corrigindo-a numa tangente, numa assíntota, numa reta. Porque a linha do Estado Único é a reta. A reta é grande, divina, precisa e sábia, a mais sábia das linhas...

Eu sou D-503, o construtor da "Integral", apenas mais um dos matemáticos do Estado Único. Minha pena, habituada às cifras, não tem o poder de criar músicas com assonâncias e rimas. Apenas tentarei registrar aquilo que vejo, o que penso – ou, mais exatamente, o que nós pensamos (precisamente: nós, e "Nós" será o título das minhas anotações). Mas já que essas notas serão derivadas de nossas vidas, da vida matematicamente perfeita do Estado Único, então, para além da minha vontade, acaso não serão por si mesmas um poema? Sim – acredito e sei que serão.

Enquanto escrevo isto, sinto minha face arder. Suponho que esse sentimento seja semelhante ao que uma mulher experimenta quando ouve pela primeira vez, dentro de si, o pulso de uma nova vida, ainda pequenina e cega. Sou eu e ao mesmo tempo não sou eu. E será preciso alimentá-la por longos meses com meu próprio sumo, meu próprio sangue. E depois, com dor, arrancá-la de mim e depositá-la aos pés do Estado Único.

Mas estou pronto, assim como cada um ou quase cada um de nós. Estou pronto.

2ª ANOTAÇÃO

Resumo:

O balé. Harmonia quadrada. O X.

Primavera. Do Muro verde, das selvagens e desconhecidas planícies, o vento traz o néctar amarelo e melífluo das flores. Esse néctar adocicado resseca os lábios – a cada instante é preciso passar a língua sobre eles –, e, provavelmente, todas as mulheres que se veem devem ter os lábios doces (e os homens também, é claro). Isso de alguma forma atrapalha o pensamento lógico.

Mas, em compensação, o céu! Azul, imaculado, sem nenhuma nuvem (como era selvagem o gosto dos nossos antepassados, já que seus poetas eram capazes de tomar inspiração nesse amontoado de vapores desajeitados, incoerentes e tolos). Eu amo e estou certo de que não me engano se digo que nós amamos apenas esse tipo de céu: impecável e estéril. Em dias como este, o mundo inteiro parece fundir-se com o mesmo vidro imutável e eterno, como o do Muro Verde e de todas as nossas construções. Em dias como este, é visível a profundidade azul das coisas, suas equações admiráveis, até então desconhecidas, inclusive nas coisas mais familiares e cotidianas.

Vejamos um exemplo. Nesta manhã, encontrava-me no hangar onde a "Integral" está sendo construída e de repente vi as máquinas: as bolas dos reguladores giravam cegas e inconscientes; as manivelas brilhantes oscilavam para a direita e para a esquerda; o balanceiro movia os ombros orgulhoso; o formão da entalhadeira batia no ritmo de uma música inaudível. E, subitamente, percebi toda a beleza desse grandioso balé mecânico, inundado pela suave luz azulada do sol.

Em seguida me perguntei: por que é tão belo? Por que a dança é bela? A resposta: porque o movimento é controlado, porque todo o sentido profundo da dança está precisamente na subordinação estética absoluta, na ideal falta de liberdade. E se é verdade que nossos antepassados entregavam-se à dança nos momentos mais inspirados de suas vidas (mistérios religiosos, paradas militares), isso significa apenas uma coisa: desde tempos imemoriais o instinto de controle é organicamente inerente ao homem, e nós, na nossa vida atual, apenas conscientemente...

Terei de concluir mais tarde: o interfone tocou. Levanto os olhos: O-90, é claro. Em meio minuto ela estará aqui. Veio buscar-me para um passeio.

Querida O! Sempre me pareceu que ela tinha a aparência do próprio nome: era dez centímetros menor do que a Norma Maternal e por isso possuía formas completamente arredondadas. Um rosado O – sua boca – se abre ao encontro de cada uma de minhas palavras. E ainda: as mãos redondas e roliças, com dobrinhas nos pulsos como as crianças.

Quando ela entrou, a válvula da lógica ainda zumbia com toda força dentro da minha cabeça, e por inércia comecei a falar sobre a fórmula que acabara de determinar, em que entrávamos todos nós, junto com as máquinas e a dança.

– É maravilhoso, não é verdade? – perguntei.

– Sim, é maravilhoso. É a primavera – O-90 lançou um sorriso rosado.

Ora, que conveniente, a primavera... Ela fala da primavera. Mulheres... Calei-me.

Embaixo, a avenida estava cheia: com um tempo desses, normalmente utilizamos a Hora Pessoal após a refeição para um passeio adicional. Como sempre, a Fábrica Musical tocava com todas as suas trombetas a Marcha do Estado Único. Em fileiras regulares de quatro, os números marchavam, marcando o compasso, entusiasmados – centenas, milhares de números em unifs* azulados, placas de ouro no peito com o número estatal de cada homem e mulher. E eu era – nós quatro – uma das infinitas ondas dessa poderosa corrente. À minha esquerda estava O-90 (se um de meus cabeludos antepassados de mil anos atrás tivesse escrito isto, ele provavelmente a designaria com a ridícula palavra "minha"); à direita, dois números desconhecidos, um feminino e um masculino.

O abençoado céu azul, os minúsculos e infantis sóis em cada uma das placas, os rostos não perturbados pela demência dos pensamentos... Raios. Entende? Tudo era feito de uma única matéria radiante e sorridente. O ritmo de cobre: "Tra-ta-ta-tam. Tra-ta-ta-tam" são degraus de bronze resplandecentes ao sol, e cada degrau eleva-nos cada vez mais alto, até o azul vertiginoso...

E, da mesma maneira que ocorrera pela manhã, no hangar, vi novamente, como se essa fosse a primeira vez na

---

* Provavelmente *derivado* da antiga palavra "uniforme". [N. do A.]

vida, vi tudo: as imutáveis ruas retas, o vidro das calçadas que irradiava luz, os paralelepípedos divinos das moradias transparentes, a harmonia quadrada das fileiras azul-claras. E me pareceu que não foram gerações inteiras, mas eu – precisamente eu – que vencera o antigo Deus e a antiga vida. Justamente eu criara tudo isso. Eu era como uma torre, temia mover o cotovelo para não fazer em pedaços as paredes, as cúpulas, as máquinas...

E depois de um instante, num salto pelos séculos, de + para –, de repente, recordei-me (uma associação por contraste, evidentemente) de um quadro num museu: uma das avenidas daquela época, do século 20, uma exuberância heterogênea, um emaranhado, um tumulto de gente, de rodas, animais, cartazes, árvores, cores, pássaros... E dizem que isso tudo realmente existiu. Pode ser. Pareceu-me tão inverossímil, tão absurdo, que não me contive e rapidamente caí na gargalhada.

Imediatamente ouvi, à direita, um eco, uma risada. Virei-me: vi dentes pontiagudos e brancos, extraordinariamente brancos, um rosto feminino e desconhecido.

– Desculpe-me – ela disse –, mas você olhava tudo ao redor com tanta inspiração, como um deus mítico no sétimo dia da criação. Parece-me que você está seguro de que foi você quem me criou também, e ninguém mais. Fico muito lisonjeada...

Disse tudo isso sem nenhum sorriso, e eu até diria que com algum respeito (talvez ela soubesse que eu era o construtor da "Integral"). Mas não sei, nos olhos ou na sobrancelha, havia algo como um X estranho e irritante, e de modo algum consegui apreendê-lo ou transformá-lo numa expressão numérica.

Por alguma razão fiquei perturbado e, confundindo-me um pouco, comecei a justificar-lhe o meu riso de maneira lógica. É evidente que esse contraste, esse abismo intransponível entre o presente e o passado...

– Mas por que intransponível? (Como são brancos os dentes!) Pode-se construir uma ponte sobre o abismo. Pense um pouco: tambores, batalhões, fileiras, pois tudo isso já existiu, portanto...

– Sim, mas é claro! – exclamou (que assombroso cruzamento de ideias: ela quase repetia com minhas próprias palavras aquilo que eu havia escrito antes do passeio).

– Você compreende até as ideias. Isto porque ninguém é "um", mas sim "um dos". Somos tão semelhantes...

Ela:

– Você tem certeza?

Percebi que suas sobrancelhas levantadas formavam um ângulo agudo até as têmporas, como as pernas pontiagudas do X. Por alguma razão fiquei confuso de novo; olhei para a direita, para a esquerda – e...

À minha direita, esbelta, intensa, obstinada e flexível como um chicote, I-330 (agora vejo seu número); à esquerda, O, completamente diferente, toda arredondada, com as dobrinhas infantis no punho; e na nossa extremidade um quarto número masculino que eu não conhecia, meio que duplamente encurvado, como a letra S. Éramos todos diferentes...

Aquela à direita, I-330, aparentemente interceptara o meu olhar desconcertado e, com um suspiro, disse:

– Sim... Infelizmente!

Na realidade, esse "infelizmente" foi muito oportuno. Mas de novo alguma coisa no seu rosto ou na voz...

Com um tom que me é incomum, eu disse bruscamente:

– Não existe infelizmente. A ciência se desenvolve e é evidente que, senão agora, dentro de cinquenta, cem anos...

– Até os narizes de todos...

– Sim, os narizes – quase gritei. – Afinal, se houver alguma razão para inveja... Eu tenho um nariz como um botão, mas outro tem...

– Bem, o seu nariz pode ser "clássico", como se dizia antigamente, mas olhe as mãos... Não, mostre, mostre as mãos!

Não suporto quando olham para as minhas mãos: peludas e desgrenhadas, um atavismo ridículo. Estendi as mãos e, com a voz o mais indiferente possível, disse:

– Mãos de macaco.

Ela examinou minhas mãos, depois meu rosto:

– Sim, uma combinação curiosa – ela me avaliava como se fosse uma balança, de novo surgiram as pernas do X nos cantos das sobrancelhas.

– Ele está registrado comigo – O-90 abriu a boca alegre e rosada.

Seria melhor se tivesse ficado calada, aquilo fora absolutamente inoportuno. Em geral, a querida O... Como dizer... A velocidade de sua língua era mal calculada. Essa velocidade deve estar sempre um segundo atrás da velocidade do pensamento, nunca o contrário.

No final da avenida, na Torre Acumuladora, o sino bateu anunciando as dezessete horas. A hora pessoal havia terminado. I-330 foi embora junto com aquele número masculino em formato de S. Ele tinha algo que inspirava respeito e agora o vejo como um rosto conhecido. Eu já o encontrara em algum lugar, mas não me lembro onde.

Ao se despedir, I sorriu para mim com o mesmo rosto em X:

– Depois de amanhã passe pelo auditório 112.

Dei de ombros:

– Se eu for convocado para esse auditório em particular que você citou...

Com uma segurança inexplicável, ela disse:

– Será.

Essa mulher me afetava da mesma maneira desagradável que um termo irracional e irredutível que se intromete ao acaso numa equação. Fiquei feliz de passar algum tempo a sós com a querida O.

De mãos dadas, passamos quatro avenidas. Na esquina, ela teve de virar à direita, e eu, à esquerda.

– Hoje eu gostaria muito de ir para casa com você e fechar as cortinas. Hoje, agora mesmo... – O-90 levantou timidamente para mim os olhos redondos, de um azul cristalino.

Graciosa. Mas o que eu poderia dizer? Ela havia estado em minha casa ainda ontem e sabia tão bem quanto eu que nosso próximo dia sexual seria depois de amanhã. Esse era simplesmente mais um caso de seu "pensamento antecipado", como acontece (e às vezes é prejudicial) com uma faísca antecipada num motor.

Ao despedir-nos, duas... Não, serei preciso, três vezes beijei seus maravilhosos olhos azuis, não maculados por nenhuma nuvem.

3ª ANOTAÇÃO

Resumo:

O casaco.
A parede.
A tabela.

Revi tudo o que escrevi ontem e percebi que não escrevi com clareza o suficiente. Ou seja, isso tudo é muito evidente para qualquer um de nós. Mas como posso saber: é possível que vocês, desconhecidos, a quem a "Integral" levará as minhas anotações, tenham lido o grande livro da civilização apenas até a página que descreve nossos antepassados de 900 anos atrás. É possível que vocês nem conheçam a Tábua das Horas, a Hora Pessoal, a Norma Maternal, o Muro Verde, o Benfeitor. É risível e ao mesmo tempo muito difícil falar sobre tudo isso. É como se algum escritor, digamos, do século 20 tivesse que explicar em seu romance o que significam "casaco", "apartamento", "esposa". Entretanto, se o seu romance fosse traduzido para os selvagens, seria possível dispensar notas explicativas a respeito de "casaco"?

Estou certo de que um selvagem olharia para um "casaco" e pensaria: "Para que serve isso? É apenas um fardo". Acredito que vocês terão exatamente o mesmo pensamento quando lhes disser que nenhum de nós esteve além do Muro Verde desde a Guerra dos Duzentos Anos.

Mas, meus queridos leitores, é preciso pensar um pouco, isso ajuda muito. É evidente que toda a história da humanidade, pelo que sabemos dela, é uma história de transição de uma forma de vida nômade para outra, cada vez mais sedentária. Será que não se deduz disso que a forma de vida mais sedentária (a nossa) é ao mesmo tempo a mais perfeita (a nossa)? As pessoas se moviam pela terra de um extremo a outro apenas na época pré-histórica, quando havia nações, guerras, comércio, descobertas de diferentes Américas. Mas para que alguém precisa disso agora?

Admito que o hábito dessa vida sedentária não se realizou sem esforço e nem de uma só vez. Durante a Guerra dos Duzentos Anos, todas as estradas foram destruídas e tomadas pelo mato; a princípio, deve ter sido muito incômodo viver em cidades separadas umas das outras por uma mata densa e verde. Mas e depois? Depois que o homem perdeu sua cauda, provavelmente não foi de uma vez só que ele aprendeu a espantar as moscas sem a ajuda desta. Sem dúvida, no início entristeceu-se pela falta da cauda. Mas agora vocês conseguem se imaginar com uma cauda? Ou: vocês conseguem se imaginar na rua nus, sem "casaco" (talvez vocês ainda andem por aí de "casacos"). Pois aqui é da mesma forma: não consigo imaginar a cidade sem estar revestida pelo Muro Verde, não consigo imaginar uma vida não envolta pelo manto numérico da Tábua.

A Tábua... Agora mesmo, as cifras púrpuras sobre um fundo dourado na parede do meu quarto olham-me diretamente nos olhos, ao mesmo tempo com severidade e ternura. Involuntariamente recordei-me daquilo que os antigos chamavam de "ícone". Eu gostaria de compor versos ou orações (algo equivalente). Ah, por que não sou poeta para cantar como és digna, oh Tábua, oh coração e pulso do Estado Único?!

Nós todos (talvez vocês também), quando crianças, líamos na escola o maior monumento literário legado pelos antigos: *Horário das estradas de ferro*. Mas, mesmo que o coloque ao lado da Tábua, vocês verão o grafite e o diamante lado a lado e ambos são constituídos do mesmo C, o carbono, mas como o diamante é transparente, eterno, e como brilha! Quem não fica sem ar quando passa de maneira rápida e estrondosa pelas páginas do *Horário*. Mas a Tábua das Horas converteu cada um de nós em verdadeiros heróis de seis rodas de aço, heróis do grande poema. Todas as manhãs, com exatamente seis rodas, precisamente na mesma hora, precisamente no mesmo minuto, nós, os milhões, levantamos como um só. Exatamente na mesma hora, unimilhões começamos a trabalhar e, na mesma hora, unimilhões, terminamos o trabalho. E fundidos num único corpo com milhões de mãos, exatamente na mesma hora determinada pela Tábua, no mesmo segundo, levamos a colher à boca e, no mesmo segundo, saímos para passear, vamos ao auditório, ao ginásio de exercícios de Taylor, adormecemos...

Serei totalmente sincero: ainda não encontramos uma solução absolutamente exata para a felicidade – duas vezes por dia, das 16 às 17 horas e das 21 às 22 horas, nosso poderoso e único organismo se divide em células isoladas: essas são as Horas Pessoais estabelecidas pela Tábua das Horas. Nesses horários observam-se as cortinas castamente fechadas nos quartos de alguns; outros percorrem ritmadamente as avenidas, como se subissem os degraus de cobre da Marcha; outros, ainda, assim como eu, estão sentados à escrivaninha. Mas creio firmemente – chamem-me de idealista e sonhador –, creio que, cedo ou tarde, algum dia também encontraremos um lugar para essas horas na fórmula geral, algum dia todos os 86.400 segundos entrarão na Tábua das Horas.

Fui obrigado a ler e ouvir muitas coisas incríveis sobre a época em que as pessoas ainda viviam livres, isto é, num estado de desorganização selvagem. Mas o que sempre me pareceu ser mais incrível é exatamente isto: como pôde o poder estatal daquela época – ainda que fosse embrionário – permitir que as pessoas vivessem sem algo parecido com a nossa Tábua, sem os passeios obrigatórios, sem regulamentação exata dos horários das refeições? Levantavam-se e deitavam-se para dormir quando lhes desse na cabeça. Alguns historiadores dizem, inclusive, que naquele tempo as ruas ficavam iluminadas durante a noite inteira, e as pessoas caminhavam e dirigiam a noite inteira.

Isso eu não consigo compreender de maneira nenhuma. Afinal, por mais limitada que fosse sua inteligência, eles deveriam, apesar disso, entender que esse tipo de vida era um verdadeiro assassinato em massa, cometido aos poucos, dia após dia. O Estado (humanitário) proibia matar um indivíduo, mas não proibia que se matassem milhões aos poucos. Matar alguém, isto é, diminuir a soma das vidas humanas em cinquenta anos é um crime, mas diminuir a soma das vidas em 50 milhões de anos não é. Isso não é engraçado? Qualquer número de dez anos de idade é capaz de resolver esse problema matemático e moral em meio minuto, mas eles não conseguiram fazê-lo mesmo com todos os seus Kants juntos (porque nenhum de seus Kants descobriu como construir um sistema de ética científica, isto é, um sistema baseado em subtração, adição, divisão e multiplicação).

E não era um absurdo que o Estado (que se atrevia a chamar-se de Estado!) permitisse a vida sexual sem qualquer controle? Quem, quando e quantas vezes quisessem... Completamente anticientífico, como os animais. E procriavam assim como os animais, às cegas. Não é risível que soubessem horticultura, avicultura, piscicultura (temos dados precisos de que eles conheciam tudo isso) e, ainda assim, não conseguissem alcançar o último degrau dessa escada lógica: a puericultura? Não pensaram a ponto de atingir as Normas Maternal e Paternal.

É tão engraçado, tão inverossímil que tenho medo do que escrevi: de repente vocês, leitores desconhecidos, podem me tomar por um piadista perverso. Podem pensar, de repente, que eu simplesmente queira zombar e que, com um ar de seriedade, esteja contando completos disparates.

Mas, em primeiro lugar: não sou capaz de fazer piadas – em toda piada há uma mentira como função implícita. Segundo: a Ciência do Estado Único afirma que exatamente assim viviam os antigos, e a Ciência do Estado Único não pode estar errada. Além do mais, de onde, então, tirariam uma lógica governamental quando as pessoas viviam em estado de liberdade, isto é, como feras, macacos, como rebanhos. O que podemos esperar deles se, de vez em quando, inclusive em nosso tempo, ainda se ouve, do fundo de alguma densa profundeza, o eco selvagem dos macacos.

Felizmente, é apenas de vez em quando. Felizmente, são apenas pequenos incidentes que podem ser facilmente consertados, sem interromper o eterno e grandioso movimento de toda a Máquina. E para arrancar um parafuso torto temos a mão hábil e pesada do Benfeitor, temos o olhar experiente dos Guardiões...

A propósito, agora me lembro: aquele de ontem, o duplamente encurvado como um S, parece-me tê-lo visto saindo do Escritório dos Guardiões. Agora me lembro por que tive uma sensação instintiva de respeito para com ele e um certo embaraço quando aquela estranha I o acompanhou... Tenho que reconhecer que essa I...

Soou a hora de dormir: 22h30. Até amanhã.

4ª ANOTAÇÃO

Resumo:

O selvagem e o barômetro. Epilepsia. Se.

Até agora, tudo na vida tem sido claro (não é em vão que tenho, ao que parece, certa propensão pela própria palavra "claro"). Mas hoje... Não a compreendo.

Primeiro: recebi realmente a tarefa de estar exatamente no auditório 112, como ela havia me dito. Embora a probabilidade fosse $1.500/10.000.000 = 3/20.000$ (1.500 sendo o número de auditórios, e 10.000.000, o de números). Segundo... Aliás, melhor que seja na ordem.

O auditório. Um enorme hemisfério de vidros maciços, ensolarado de ponta a ponta. Fileiras circulares de cabeças nobres, esféricas e raspadas rente. Com o coração levemente apertado, olhei ao redor. Acho que procurava ver se não brilhava sobre as ondas de unifs azulados uma foice rosada, os gentis lábios de O. E ali estavam os dentes extraordinariamente brancos e pontiagudos de alguém, parecidos... não, não aqueles. Hoje à noite, às 21 horas, O virá à minha casa – o desejo de vê-la aqui é completamente natural.

Soa a campainha. Levantamos, cantamos o Hino do Estado Único. No palco, o fonolector resplandeceu espirituoso com seu alto-falante dourado.

"Prezados números! Há pouco tempo, arqueólogos desenterraram um livro do século 20. Nele, o irônico autor relata a história de um selvagem e um barômetro. O selvagem percebeu que todas as vezes que o barômetro marcava 'chuva', realmente chovia. E como o selvagem desejava que chovesse, então ele extraiu a quantidade necessária de mercúrio para que o nível parasse em 'chuva' (na tela havia um selvagem de plumas tirando o mercúrio. Risos). Riam: mas não lhes parece que o europeu daquela época é muito mais digno de riso? Assim como o selvagem, o europeu queria 'chuva' – chuva com letra maiúscula, chuva algébrica. Mas ele ficava em frente ao barômetro como uma galinha molhada. Os selvagens pelo menos tinham mais coragem, energia e – ainda que selvagens – lógica: ele pôde estabelecer uma conexão entre causa e consequência. Ao tirar o mercúrio, ele foi capaz de dar o primeiro passo para o longo caminho em que..."

Nesse momento (repito: escrevo sem ocultar nada), nesse momento, fiquei como que temporariamente impermeável às torrentes vivificantes derramadas pelos alto-falantes. De repente, pareceu-me que eu havia me dirigido para lá em vão (por que "em vão"? Como poderia deixar de vir, uma vez que a ordem me fora dada?); pareceu-me que tudo estava vazio, que era apenas uma casca. E, com dificuldade, prestei atenção apenas quando o fonolector já havia passado para o tema principal: a nossa música, a composição matemática (o matemático é a causa; a música, a consequência), a descrição do recentemente inventado musicômetro.

"... Apenas girando esta manivela, qualquer um de vocês produzirá até três sonatas em uma hora. Mas isso era difícil para os nossos antepassados. Eles podiam criar apenas conduzindo a si próprios a um acesso de 'inspiração', uma forma desconhecida de epilepsia. E aí vocês têm uma ilustração divertida de seus resultados, a música de Scriábin do século 20. Essa caixa preta (no palco a cortina se abriu e lá estava o antigo instrumento deles), essa caixa a que eles chamavam de 'piano de cauda' ou 'piano', que mais uma vez demonstra o quanto toda sua música..."

Em seguida, novamente não me lembro, muito provavelmente porque... Bom, então falarei diretamente: porque foi ela, I-330, que se aproximou da caixa "piano". É possível que eu tenha simplesmente ficado estupefato com a sua inesperada aparição no palco.

Ela usava um fantástico traje de época: um vestido preto muito justo que destacava bem a brancura dos ombros e colo desnudos, uma cálida sombra ondulava pela respiração entre... E os dentes ofuscantes, quase perversos...

O sorriso-mordida para cá, embaixo. Sentou-se e começou a tocar. Era selvagem, convulsivo, multicolorido, como tudo na vida deles naqueles tempos – nem uma sombra do racionalismo mecânico. E, é claro, aqueles ao meu redor estavam certos: todos riam. Apenas uns poucos... Mas por que eu também?

Sim, a epilepsia é uma enfermidade mental, uma dor. Uma dor lenta e doce – uma mordida – e quanto mais profunda, mais dolorosa. Então, lentamente surge o sol. Não é o nosso, não é o sol azul cristalino que atravessa uniformemente os tijolos de vidro, não: é um sol selvagem, flutuante e ardente, expelindo tudo de si, tudo em pedacinhos.

O número sentado ao meu lado olhou de soslaio para a esquerda – para mim – e deu uma risada. Por algum motivo, com muita clareza, ficou gravado em minha memória: vi que de sua boca saltou uma microscópica bolha de saliva que se rompeu. Essa pequena bolha me fez voltar a mim. Eu era eu novamente.

Como todos os outros, eu ouvia apenas o ridículo e inquieto matraquear das cordas. Ri. Ficou fácil e simples. O talentoso fonolector havia representado para nós de maneira demasiado vívida aquela época selvagem – isso é tudo.

Com que prazer escutei em seguida a nossa música contemporânea (ela fora demonstrada no final para o contraste). Graus cristalinos e cromáticos que convergiam e divergiam em séries infinitas, os acordes totalizantes das fórmulas de Taylor e McLaurin; os movimentos de tom inteiro, dos quadrados do teorema de Pitágoras; melodias tristes de extinções vibratórias do movimento; as linhas de Fraunhofer que transformavam as cadências vívidas – uma análise espectral do planeta... Que grandiosidade! Que regularidade imutável! E que lamentável é a voluntariosa e limitada música dos antigos, nada além de fantasias selvagens...

Como de costume, alinhados em filas de quatro, todos saíram pelas largas portas do auditório. Passou rapidamente por mim a conhecida figura duplamente encurvada. Saudei-o respeitosamente.

Dentro de uma hora a querida O deveria chegar. Sentia-me agitado de maneira útil e agradável. Em casa, fui rapidamente ao departamento, entreguei à plantonista meu bilhete rosa e recebi a autorização que me dava direito a fechar as cortinas. Apenas temos esse direito nos dias sexuais. Assim, entre nossas paredes transparentes, como se fossem tecidas de ar brilhante, vivemos sempre em plena vista, eternamente banhados pela luz. Não temos nada a esconder uns dos outros. Além do mais, isso alivia a pesada e elevada tarefa dos Guardiões. De outro modo, quem sabe o que poderia acontecer? É possível que tenham sido exatamente as moradas estranhas e não transparentes dos antigos que engendraram essa sua lamentável psicologia celular: "Minha (*sic*!) casa é minha fortaleza". Era realmente necessário pensar melhor nisso!

Às 21 horas, fechei as cortinas, e no mesmo minuto O entrou um pouco sem fôlego. Ela estendeu para mim sua boca rosada e o bilhete rosa. Arranquei o recibo e não pude me desprender da sua boca rosada até o último momento: 22h15.

Depois mostrei-lhe minhas "anotações" e falei – parece que muito bem – sobre a beleza do quadrado, do cubo, da reta. Ela me ouvia de uma maneira rosada e encantadora, mas, de repente, dos seus olhos azuis brotou uma lágrima, e outra, uma terceira, e caíram diretamente sobre a página aberta (a página 20). A tinta borrou. Pois bem, terei que reescrevê-la.

– Querido D, se você apenas, se você...

Mas que "se você"? "Se você" o quê? De novo a sua velha canção: um filho. Ou pode ser que alguma coisa nova, a respeito... a respeito da outra? Seria então como se... Não, isso seria ridículo demais.

5ª ANOTAÇÃO

Resumo:

O quadrado. Os senhores do mundo. Uma função útil e agradável.

Novamente não é isso. Novamente a você, meu desconhecido leitor, falo como se... Bem, digamos, como um velho camarada, R-13, um poeta de lábios negroides – sim, todos o conhecem. Entretanto, você está na Lua, em Vênus, em Marte, em Mercúrio – quem o conhece? Onde está e quem é você?

Pois bem: imagine um quadrado, um bonito quadrado vivo. E ele precisa falar sobre si mesmo, sobre sua própria vida. Compreenda que a última coisa que passaria pela cabeça do quadrado seria falar que possui quatro lados iguais: isso é algo que ele simplesmente já não vê, para ele isso é muito habitual, cotidiano. Pois eu também, durante todo esse tempo, estou na mesma posição desse quadrado. Bem, se falarmos dos talões cor-de-rosa e tudo associado a eles, para mim é igual aos quatro lados, mas para você talvez seja mais evidente do que o binômio de Newton.

Pois bem. Um dos antigos sábios – casualmente, sem dúvida – disse uma coisa inteligente: "O amor e a fome dominam o mundo". *Ergo:* para dominar o mundo o homem deve dominar os senhores do mundo. Finalmente, nossos antepassados, com um alto preço, venceram a Fome: falo sobre a Grande Guerra dos Duzentos Anos, sobre a guerra entre a cidade e o campo. Provavelmente, por causa dos preconceitos religiosos, os selvagens cristãos agarraram-se obstinadamente ao seu "pão".* Mas, no ano 35 antes da fundação do

---

* Conservamos essa palavra apenas pelo aspecto de metáfora poética: desconhecemos a composição química dessa substância. [N. do A.]

Estado Único, foi inventado o nosso atual alimento à base de petróleo. É verdade que apenas 0,2% da população do globo terrestre sobreviveu. Mas, em compensação, com uma limpeza de mil anos de sujeira, como se tornou resplandecente a face da Terra! E por isso esse zero ponto dois aproveitou com deleite os cubículos do Estado Único.

Mas não está claro se o deleite e a inveja são o numerador e o denominador da fração chamada felicidade. E qual seria o sentido das inumeráveis vítimas da Guerra dos Duzentos Anos, se, apesar de tudo, ainda permanecesse motivo para inveja em nossas vidas? Mas permaneceu, porque ficaram os narizes "de botão" e os narizes "clássicos" (nossa conversa de então no passeio), porque alguns conseguem o amor de muitos, outros o de ninguém.

Naturalmente, tendo submetido a Fome (algebricamente = a soma dos bens externos), o Estado Único conduziu uma ofensiva contra outro senhor do mundo: contra o Amor. Finalmente, esse elemento também foi vencido, isto é, organizado e matematizado, e por volta de trezentos anos atrás foi promulgada nossa histórica Lex Sexualis: "todo número tem direito a qualquer outro número como produto sexual".

Bem, o que se segue é apenas técnico. No laboratório do Departamento Sexual examinam-nos e calculam exatamente a composição de nossos hormônios sexuais no sangue, e produzem para nós uma Tábua apropriada dos dias sexuais. Em seguida, fazemos uma declaração de que queremos utilizar nossos dias com esse ou aquele número, e recebemos o devido talão cor-de-rosa. Isso é tudo.

Está claro: já não há motivos para a inveja, o denominador da fração felicidade foi reduzido a zero, a fração converte-se em magnífico infinito. E o que para os antigos era fonte de inumeráveis e tolas tragédias em nossa sociedade foi convertido em harmoniosas, agradáveis e úteis funções do organismo, assim como o sono, o trabalho físico, a ingestão de alimentos, a defecação etc. A partir daí, fica evidente como a grande força da lógica purifica tudo o que toca. Oh, se vocês, desconhecidos, conhecessem essa força divina, se vocês aprendessem a segui-la até o fim.

... É estranho, hoje escrevi sobre os elevados cumes da história da humanidade, e o tempo todo respirei o ar puro das montanhas do pensamento, mas dentro de mim havia algo nublado, coberto de teias de aranha, com a cruz de quatro pernas de um certo X. Ou foram minhas patas, e tudo isso seja porque elas ficaram por muito tempo diante de mim, minhas patas peludas. Não gosto de falar sobre elas, não gosto delas: são o vestígio de uma época selvagem. É possível que em meu interior realmente...

Gostaria de riscar tudo isso porque extrapola os limites do resumo. Mas depois resolvi não riscar. Que minhas notas, como um sensível sismógrafo, registrem a curva e, inclusive, as mais insignificantes oscilações cerebrais: porque, às vezes, exatamente tais oscilações servem de prenúncio...

Mas isso já é um absurdo. Isso realmente já deveria ter sido riscado: já estabelecemos o curso de todos os elementos, não pode haver nenhuma catástrofe.

E agora tudo ficou claro para mim: a estranha sensação no íntimo se deve inteiramente à mesma situação do quadrado sobre o qual eu falara no início. Não há nenhum X em mim (não é possível), apenas tenho medo de que um X fique em vocês, meus leitores desconhecidos. Mas acredito que não me julgarão com severidade demais. Acredito que vocês compreendem que para mim escrever é tão difícil como nunca foi a qualquer autor ao longo de toda a história da humanidade: uns escreviam para seus contemporâneos, outros para seus descendentes, mas ninguém nunca escreveu para os antepassados ou seres semelhantes aos seus selvagens antepassados distantes...

6ª ANOTAÇÃO

Resumo:

Um incidente. Maldito "é claro". 24 horas.

Repito: imputei-me o dever de escrever sem esconder nada. Por isso, ainda que triste, preciso assinalar aqui que, evidentemente, mesmo o nosso processo de solidificação e cristalização da vida ainda não terminou. Até o ideal ainda faltam alguns degraus. O ideal (é claro) está onde já não ocorre nada, mas nós... Vejam, por exemplo: hoje li na *Gazeta do Estado Único* que na Praça do Cubo, dentro de dois dias, será celebrado o feriado da Justiça. Portanto, de novo, algum número perturbou a marcha da grande Máquina Estatal, de novo aconteceu algo imprevisto e incalculável.

E, além disso, algo me ocorreu. É bem verdade que aconteceu durante a Hora Pessoal, isto é, durante o tempo especialmente concedido para as circunstâncias imprevistas, mas de qualquer maneira...

Por volta das 16 horas (faltando 10 para as 16, mais exatamente) eu estava em casa. De repente, o telefone:

– D-503? – uma voz feminina.

– Sim.

– Você está livre?

– Sim.

– Sou eu, I-330. Estou passando aí para pegar você, vamos à Casa Antiga. De acordo?

I-330... Essa I me irrita, me repele, quase me assusta. Mas foi exatamente por isso que eu disse: sim.

Dentro de cinco minutos já estávamos no aero. A maiólica azul do céu de maio, o sol suave no seu próprio aero dourado zumbia atrás de nós, sem nos ultrapassar e tampouco ficar para trás. Mas adiante, como uma catarata, havia uma nuvem que branquejava, ridícula e rechonchuda como as bochechas de um antigo "cupido", e de alguma maneira isso me incomodou. A pequena janela da frente estava aberta, o vento ressecava meus lábios, fiquei lambendo-os inevitavelmente o tempo todo e o tempo todo pensando neles.

De longe já era visível uma mancha turva e esverdeada, lá atrás do Muro. Em seguida, sem querer, um leve aperto no coração – para baixo, para baixo, para baixo, como se descêssemos uma montanha escarpada. Chegamos à Casa Antiga. Era estranha, frágil e indistinta, coberta inteiramente por uma casca de vidro: de outra maneira, é claro, há muito tempo já teria vindo abaixo. Ao lado da porta de vidro estava uma velha toda enrugada, sobretudo a boca: cheia de pregas e franzida, os lábios para dentro, como se a boca estivesse contraída, era absolutamente incrível que ela pudesse falar. E, contudo, ela falou:

– Então, queridos, vieram dar uma olhada na minha casinha? – as suas rugas começaram a brilhar (isto é, provavelmente, puseram-se em forma radial, o que deu a impressão de que "brilhavam").

– Sim, vovó, gostaria de vê-la de novo – disse-lhe I.

As rugas resplandeceram:

– Que sol, hein? O quê, então? Ah, diabinha, ah, diabinha! Já sei, já sei! Está bem: vão sozinhos, fico melhor aqui no sol...

Hum... Provavelmente, minha companheira era uma hóspede frequente. Eu queria me livrar de algo que me incomodava: é possível que aquela mesma imagem visual obsessiva: a nuvem num céu liso de maiólica azul.

Enquanto subíamos as escadas largas e escuras, I disse:

– Eu amo aquela velha.

– Por quê?

– Não sei. Talvez por causa de sua boca. Ou talvez por nada. Simples assim.

Dei de ombros. Ela continuou sorrindo um pouco, ou talvez sequer tenha sorrido:

– Sinto-me muito culpada. É claro que não deve ser "amo simplesmente", mas sim "amo por alguma coisa". Deve ter todos os elementos.

– Claro... – comecei e imediatamente peguei-me dizendo essas palavras, olhei furtivamente para I: ela percebera ou não?

Ela olhava para alguma coisa embaixo, os olhos caídos, como cortinas.

Lembrei-me de que à noite, por volta das 22 horas, passando pela avenida, entre células transparentes e vivamente iluminadas, algumas estavam escuras, com as cortinas fechadas, e lá, detrás delas... O que havia atrás das cortinas? Para que ela me telefonou hoje? E para que tudo isso?

Abri a porta pesada, rangente e opaca, entramos em um recinto sombrio e desordenado (o que eles chamavam de "apartamento"). O mesmo estranho instrumento musical, o "piano" – uma música selvagem, desorganizada e demente como a daquela época, uma mistura de cores e formas. Uma superfície plana e branca no alto; paredes azul-escuras; encadernações alaranjadas, vermelhas e verdes de livros antigos; o amarelo bronze dos candelabros e da estátua de um Buda; deformadas pela epilepsia, as linhas dos móveis não se encaixavam em nenhuma equação.

Tive dificuldade para suportar esse caos. Mas minha companheira, pelo visto, tinha um organismo mais forte.

– Esse é o meu favorito – e de repente, se deu conta, abriu um sorriso-mordida, com dentes brancos e pontiagudos. – Mais exatamente: este é o mais ridículo de todos os "apartamentos".

– Ou para ser mais exato: dos Estados – eu a corrigi. – Milhares de microscópicos Estados eternamente belicosos e cruéis, como...

– Bem, é claro... – disse I, aparentemente com muita seriedade.

Passamos por um quarto onde havia pequenas camas infantis (naquela época as crianças também eram propriedade privada). E mais cômodos, o brilho dos espelhos, armários sombrios, sofás insuportavelmente multicoloridos, uma gigantesca "lareira", uma grande cama de mogno. Nosso atual, belo, transparente e eterno vidro apenas existia ali na forma de lamentáveis e frágeis janelas quadradas.

– E pensar que aqui "simplesmente amavam", consumiam-se, atormentavam-se... (de novo fechou os olhos, como cortinas). – Que ridículo desperdício de energia humana, não é verdade?

Ela falava como se estivesse dentro de mim, verbalizava meus pensamentos. Mas em seu sorriso havia o tempo todo aquele X irritante. Ali, atrás das cortinas, alguma coisa acontecia com ela. Não sei o que é que me fazia perder a paciência; queria discutir com ela, gritar com ela (exatamente isso), mas tinha que concordar, era impossível não concordar.

Paramos diante de um espelho. Naquele momento eu via apenas seus olhos. Uma ideia me ocorreu: o homem é feito da mesma forma selvagem que esses ridículos "apartamentos" – sua cabeça é opaca, há minúsculas janelas, no interior: os olhos. Ela como que adivinhara os meus pensamentos e se virou. "Bem, aqui estão meus olhos. Então?" (Isso tudo em silêncio, é claro.)

Diante de mim estavam duas janelas espantosamente escuras, e dentro delas uma vida tão desconhecida, tão estranha. Vi apenas o fogo arder como em uma daquelas "lareiras", e algumas figuras, parecidas...

Isso, é claro, era natural, eu vira meu próprio reflexo. Mas era antinatural e não se parecia comigo (evidentemente que se devia ao desalento das circunstâncias). Senti-me verdadeiramente preso naquela jaula selvagem. Senti-me apanhado por aquele torvelinho da vida antiga e selvagem.

– Sabe o quê – disse I –, vá por um instante ao quarto ao lado. – Ouvia-se sua voz lá de dentro, por detrás das janelas escuras dos seus olhos, onde a lareira chamejava.

Entrei e me sentei. De uma prateleira na parede, quase invisível, sorria para mim a fisionomia assimétrica e de nariz arrebitado de um dos poetas antigos (parece que era Púchkin). Por que estou sentado aqui aguentando obediente a esse sorriso? E para que tudo isso? Por que estou aqui nessa situação ridícula? Essa mulher irritante e repulsiva, seu estranho jogo...

Lá, ouvi a porta do armário bater, o roçar de seda, continha-me com dificuldade para não ir até lá, não me lembro com exatidão: provavelmente tive vontade de lhe dizer umas coisas ásperas.

Mas ela já havia saído. Vestia um antigo vestido curto, de um amarelo vivo, chapéu preto e meias pretas. O vestido era feito de uma seda leve, eu via claramente: as meias estavam muito longas, muito acima dos joelhos, e a abertura no colo, a sombra entre...

– Escute, é claro que você quer ser original, mas será que você...

– É claro – I interrompeu –, ser original, isso significa destacar-se dos outros. Portanto, ser original é romper com a igualdade... O que na linguagem idiota dos antigos chamava-se "ser banal", o que para nós significa apenas cumprir o seu dever. Porque...

– Sim, sim, sim! Exatamente – não me contive. – E você não tem, não tem nada que...

Ela se aproximou da estátua do poeta de nariz arrebitado e, ao cobrir o brilho selvagem dos olhos com as cortinas, lá dentro, por trás de suas janelas, ela disse, com uma voz que pareceu totalmente séria (talvez para me acalmar), uma coisa muito racional:

– Não considera surpreendente que em outra época as pessoas suportavam tipos assim? E não só suportavam, como os admiravam. Que espírito servil! Não é verdade?

– É claro... Isto é, eu queria... (esse maldito "é claro"!).

– Bem, sim, eu entendo. Pois, em essência, esses poetas eram senhores mais poderosos que aqueles a quem coroavam. Por que não os isolaram não os exterminaram? Em nossa...

– Sim, em nossa... – comecei. E, de repente, ela caiu na risada. Simplesmente observei com meus próprios olhos aquela risada: sonora, rude, flexível, elástica como uma chibata, uma risada falsa.

Lembro-me de que tremia todo. Queria tê-la agarrado, já não me lembro mais... Era preciso fazer alguma coisa, qualquer coisa. Maquinalmente abri minha placa dourada, olhei para o relógio. Faltavam 10 minutos para as 17 horas.

– Você não acha que já é hora de ir? – eu disse, do modo mais gentil possível.

– E se eu lhe pedisse para ficar aqui comigo?

– Ouça: você se dá conta do que está falando? Dentro de dez minutos devo estar no auditório...

– ... E todos os números são obrigados a fazer o curso preestabelecido de arte e de ciência... – I disse, com a voz igual à minha. Depois abriu as cortinas, levantou os olhos: através das janelas escuras a lareira chamejava. – No Departamento de Medicina conheço um médico, ele está inscrito comigo. Se eu pedir, ele lhe dará um atestado médico. E então?

Compreendi. Finalmente compreendi para onde ia todo esse jogo.

– Você perdeu a cabeça! Você sabe que eu, de fato, como todo número honesto, devo me dirigir imediatamente ao Departamento dos Guardiões e...

– Mas de fato, não (o sorriso-mordida penetrante). Estou terrivelmente curiosa: você irá ou não ao Departamento?

– Você vai ficar aí? – segurei a maçaneta da porta. A maçaneta era de cobre, e ouvi como minha voz soava igualmente metálica.

– Um minuto... Pode ser?

Ela se aproximou do telefone. Ligou para algum número, eu estava tão agitado que não memorizei qual. Ela gritou:

– Vou esperar você na Casa Antiga. Sim, sim, sozinha...

Girei a fria maçaneta de cobre:

– Você me permite usar o aero?

– Oh, sim, certamente! Por favor...

Ali, na saída, a velha cochilava ao sol como um vegetal. Era novamente surpreendente que ela abrisse a boca hermeticamente fechada e que pudesse falar:

– E a sua... ela ficou lá dentro sozinha?

– Ficou sozinha.

A boca da velha se cobriu novamente. Ela balançou a cabeça. Pelo visto, até o seu cérebro debilitado compreendeu o ridículo e arriscado comportamento daquela mulher.

Às 17 horas em ponto eu estava na palestra. E, então, de repente, por algum motivo, compreendi que havia mentido para a velha: I estava lá agora, mas não sozinha. Talvez fosse exatamente isso, ter enganado a velha sem querer, que me atormentava e me impedia de prestar atenção. Sim, ela não estava sozinha: essa era a questão.

Após as 21h30 eu tinha uma hora livre. Podia ter ido ao Departamento dos Guardiões e feito uma denúncia hoje.

Mas depois dessa história estúpida eu estava muito cansado. E depois, o prazo legal para fazer uma reclamação era de dois dias. Amanhã terei tempo: ainda tenho 24 horas.

7ª ANOTAÇÃO

Resumo:

Os cílios. Taylor. O meimendro e o lírio-do-vale.

Noite. Verde, laranja, azul; um instrumento vermelho, o piano; um vestido amarelado como uma laranja-lima. Depois, o Buda de bronze. Subitamente, levantaram-se as pálpebras de bronze e do Buda começou escorrer um sumo. Também o vestido amarelo vertia suco, e pelo espelho gotas de suco. Também gotejava na cama grande e nas camas das crianças, e agora eu mesmo, com algum terror mortal e doce...

Despertei: a luz era azulada e suave, o vidro da parede brilhava, e também a poltrona e a mesa de vidro. Isso me tranquilizou, o coração parou de palpitar. O suco, o Buda... mas que absurdo? É claro: estou doente. Nunca havia sonhado antes. Dizem que sonhar era a coisa mais cotidiana e normal na época dos antigos. Pois, sim, toda a vida deles era esse carrossel terrível: verde, laranja, Buda, suco. Mas nós sabemos que os sonhos são uma séria enfermidade psíquica. Eu também sei que até agora meu cérebro tem sido cronometricamente regulado, um mecanismo brilhante sem nenhum grão de poeira, mas agora... Sim, exatamente agora: sinto que lá, no meu cérebro, há um corpo estranho, como quando um fino cílio entra no olho: o resto de você não sente, mas esse olho com o cílio, você não consegue esquecer dele nem por um segundo...

A vigorosa campainha de cristal na cabeceira soou às 7h, hora de levantar. À direita e à esquerda, através das paredes de vidro, vejo como se fosse eu mesmo, meu quarto, minha roupa, meus movimentos, repetidos milhares de vezes. Isso me reanima: vejo-me como parte de uma enorme e potente unidade. E que beleza precisa: nem um gesto, curva ou volta excedente.

Sim, esse Taylor foi, sem dúvida, o mais genial dos antigos. É verdade que ele não chegou a pensar em estender seu método para todas as esferas da vida, para cada passo, dia e noite. Não soube integrar seu sistema às 24 horas do dia. Mas, de qualquer forma, como eles puderam escrever uma biblioteca inteira sobre um tal de Kant, sem quase notar Taylor, esse profeta que conseguiu enxergar dez séculos à frente?

O café da manhã havia terminado. Cantamos harmoniosamente o Hino do Estado Único. Em harmoniosas filas de quatro pessoas, fomos para o elevador. O zumbido dos motores era quase imperceptível, descemos rapidamente cada vez mais para baixo, o coração apertou de leve...

E, então, de repente, por alguma razão, aquele sonho ridículo de novo, ou alguma função implícita dele. Ah, sim, ontem senti a mesma coisa durante a descida do aero. Por outro lado, tudo isso estava acabado: ponto. E também foi muito bom eu ter sido tão decidido e ríspido com ela.

No vagão do caminho subterrâneo me apressei para o lugar onde, sobre a carreira, brilhando ao sol, ainda imóvel, ainda sem o espírito do fogo, ali, estava o elegante corpo da "Integral". Fechando os olhos, imaginei as fórmulas: mais uma vez calculei mentalmente qual era a velocidade inicial necessária para lançar a "Integral" da Terra. A cada átomo de segundo, a massa da "Integral" se transforma (o combustível da explosão se consome). A equação se mostrou muito complexa, com proporções transcendentais.

Como que em meio a sonhos, aqui, no sólido mundo numérico, alguém se sentou ao meu lado, esbarrou em mim de leve e disse: "Desculpe".

Entreabri os olhos. Vi primeiramente (por associação com a "Integral") algo se precipitando rapidamente para o espaço: era uma cabeça que voava graças a rosadas orelhas, em forma de asas que sobressaíam pelas laterais. E depois a curva do seu pescoço caído – as costas arqueadas – a duplamente encurvada letra S...

E entre as paredes de vidro do meu mundo algébrico, de novo o cílio: algo desagradável, que devo hoje mesmo...

– Não foi nada, não foi nada, por favor – sorri para o meu vizinho, cumprimentando-o. Em sua placa brilhava: S-4711 (é compreensível por que desde o primeiro momento associei-o com a letra S: fora uma impressão não registrada pela minha percepção visual). Seus olhos também brilharam: duas brocas pontiagudas, girando rapidamente, atarraxando mais e mais profundamente, e agora que estão parafusadas até o fundo, veem aquilo que nem mesmo eu...

De repente, o cílio começou a ficar completamente evidente para mim: era um deles, um dos Guardiões. O mais fácil era contar tudo a ele agora mesmo, sem demora.

– Sabe, ontem eu estive na Casa Antiga... – Minha voz soou estranha, diminuta e trivial, tossi para tentar melhorá-la.

– Que coisa excelente. Isto dará material para conclusões instrutivas.

– Mas entenda que eu não estava sozinho, estava acompanhando o número I-330, então...

– I-330? Fico feliz por você. É uma mulher muito interessante e talentosa. Ela tem muitos admiradores.

... Mas será que ele também – naquele dia no passeio –, talvez ele também estivesse registrado com ela? Não, sobre isso eu não podia falar com ele, era inconcebível: isso estava claro.

– Sim, sim! Sem dúvida, sem dúvida! – Dei um sorriso muito largo e ridículo e senti que aquele sorriso me deixara nu, tolo...

As verrumas me chegaram até o fundo, depois, girando rapidamente, desparafusaram-se diante dos meus olhos; S sorriu de maneira ambígua, saudou-me e deslizou para a saída.

Escondi-me atrás de um jornal (parecia que todo mundo olhava para mim) e imediatamente esqueci do cílio, das verrumas, de todos: de tanto que me emocionou o que havia lido. Era uma pequena notícia: "Por meio de informações incontestáveis, recentemente foram descobertas pistas de uma organização que até agora tem escapado, e cujo objetivo é a liberação do jugo benfeitor do Estado".

"Liberação"? É admirável: como são persistentes os instintos criminosos da espécie humana. Digo "criminosos" conscientemente. A liberdade e o crime são tão indissoluvelmente conectados entre si como... Bem, como o movimento do aero e sua velocidade: se a velocidade do aero = 0, então ele não se move; se a liberdade de uma pessoa = 0, então ela não comete crimes. Isso é claro. O único meio de livrar uma pessoa do crime é livrá-la da liberdade. Aqui quase atingimos esse estágio (numa escala cósmica do século, isso certamente é um "quase"), e de repente algum tolo lamentável...

Não, não compreendo: por que imediatamente, ontem mesmo, não fui ao Departamento dos Guardiões? Hoje após as 16 horas irei lá sem falta...

Às 16h10 saí e no mesmo instante vi O na esquina, toda rosada de entusiasmo por causa desse encontro. "Ela tem uma inteligência simples e circular. Isso vem a propósito, ela me compreenderá e apoiará..." Por outro lado, não, não tenho necessidade de apoio: estava firmemente decidido.

As cornetas da Fábrica Musical ecoaram harmoniosamente a Marcha, a mesma Marcha de todos os dias. Que fascínio inexplicável existe nessa cotidianidade, repetitividade e reflexividade!

O agarrou-me pela mão.

– Vamos passear – os olhos redondos e azuis estavam bem abertos, janelas azuis para o interior, e eu penetrei sem ficar preso por nada em seu interior, ou seja, neles não havia nada de estranho e desnecessário.

– Não, não vou passear. Preciso... – disse a ela para onde eu ia. E, para a minha surpresa, percebi que sua redonda boca rosada tomara a forma de uma meia-lua cor-de-rosa, com as pontas para baixo, como se tivesse provado algo azedo. Fiquei enfurecido.

– Parece que vocês, números femininos, estão incuravelmente corroídos por preconceitos. São absolutamente incapazes de pensar de forma abstrata. Desculpe-me, mas isso é simplesmente estupidez.

– Você vai até os espiões... Fuh, que horror! E eu lhe trouxe do Museu de Botânica um buquê de lírios-do-vale...

– Por que "E eu"? Por que esse "E"? Bem coisa de mulher. – Com raiva (reconheço), agarrei os lírios dela. – Aqui estão eles, os seus lírios-do-vale, então? Cheire: é bom, não é? Ao menos você tem lógica para tanto. O lírio-do-vale cheira bem, isso é certo. Mas você não pode falar o mesmo do odor, da própria ideia de "odor", se é bom ou ruim? Não pode, não é? Existe o cheiro do lírio-do-vale, também existe o cheiro abominável do meimendro: ambos são odores. Havia espiões no Estado antigo, também há espiões entre nós... sim, espiões. Não tenho medo da palavra. Pois está claro que o espião de então era o meimendro, e o espião de hoje é o lírio-do-vale. Isso mesmo, o lírio-do-vale!

A rosada meia-lua estremeceu. Agora compreendo: apenas me parecera, mas eu estava certo de que ela ria. Então, pus-me a gritar ainda mais alto:

– Sim, o lírio-do-vale! E não há nada engraçado nisso, nada engraçado!

As lisas e redondas esferas das cabeças que flutuavam passando por nós viravam-se. O me pegou carinhosamente pela mão:

– Você está um pouco... Você não está doente?

O sonho, o amarelo, o Buda... Imediatamente tudo ficou claro: eu precisava ir ao Departamento Médico.

– Sim, é verdade, estou doente – eu disse muito contente (naquele momento caí em uma contradição inexplicável: não havia nada para se alegrar).

– Você precisa ir ao médico agora mesmo. Pois você sabe muito bem que tem a obrigação de estar saudável. É engraçado apontar isso a você.

– Bem, querida O, naturalmente você está certa. Absolutamente certa!

Não fui ao Departamento dos Guardiões, não havia o que fazer, eu tinha que ir ao Departamento Médico. Fiquei retido lá até as 17 horas.

À noite (ademais, isso já não importava, o Departamento já estava fechado a essa hora), O veio me visitar. As cortinas não estavam fechadas. Resolvemos problemas de um antigo manual: isso era muito calmante e limpava os pensamentos. O-90 estava debruçada sobre seu caderno, com a cabeça inclinada sobre o ombro esquerdo e por causa do esforço pressionava a língua por dentro da bochecha esquerda. Era algo tão infantil, tão encantador. E em meu interior tudo ia bem, com precisão e simplicidade...

Ela foi embora. Fiquei só. Respirei profundamente duas vezes (isso é muito útil antes de ir dormir). De repente, um odor imprevisto me fez recordar de algo muito desagradável... Logo descobri: em minha cama estava escondido o buquê de lírios-do-vale. Imediatamente tudo turbilhonou e se levantou das profundezas. Não, esconder esses lírios fora simplesmente uma falta de tato da sua parte. Pois bem, não fui até lá. Mas não tenho culpa se estou doente.

8ª ANOTAÇÃO

Resumo:

A raiz irracional. R-13. O triângulo.

Já faz muito tempo, nos anos de escola, quando $\sqrt{-1}$ aconteceu comigo. Lembro-me tão claramente, como se estivesse gravado: uma sala iluminada, as centenas de cabeças redondas dos meninos, e Pliapa, nosso professor de matemática. Nós o chamávamos de Pliapa porque ele era bem desgastado, desleixado, e quando o encarregado colocava a ficha atrás dele, os alto-falantes sempre começavam: "Plia-plia-plia-tchhh", e em seguida a aula iniciava. Uma vez, Pliapa falou sobre os números irracionais. Eu me lembro que comecei a chorar, bati com os punhos na mesa e gritei: "Não quero $\sqrt{-1}$! Tire de mim $\sqrt{-1}$!". Aquela raiz irracional crescia dentro de mim como algo estranho, alheio e terrível que me devorava, eu não podia compreendê-la ou reduzi-la porque estava fora de *ratio*.

E agora de novo $\sqrt{-1}$. Reexaminei minhas anotações e ficou claro: eu trapaceava comigo mesmo, eu mentia para mim só para não ver $\sqrt{-1}$. Essa coisa toda de que estou doente etc. é uma tolice: eu poderia ter ido aos Guardiões. Uma semana atrás, eu sei, teria ido sem hesitar. Por que será que agora... Por quê?

E hoje a mesma coisa. Exatamente às 16h10, eu estava em frente à parede de vidro reluzente. Acima, as letras douradas, ensolaradas e com o brilho limpo da placa do Departamento. Lá no fundo, entre as paredes de vidro, uma longa fila de unifs azulados. Os rostos ardiam como lâmpadas de igrejas antigas: chegaram para realizar uma façanha, chegaram para entregar ao altar do Estado Único seus amados, seus amigos e até a si próprios. E eu desejava ir até eles, estar com eles. Não pude: meus pés estavam profundamente soldados nas chapas de vidro. Permaneci em pé, com o olhar inexpressivo, sem forças para sair do lugar...

– Ei, matemático, está sonhando acordado!

Estremeci. Olhos escuros, envernizados, risonhos e lábios grossos e negros dirigiam-se a mim. Era o poeta R-13, um velho companheiro, e com ele a rosada O.

Virei-me com raiva (acho que se eles não tivessem me atrapalhado, eu teria, no fim das contas, arrancado com carne e tudo a $\sqrt{-1}$ de mim e entrado no Departamento).

– Não estou dormindo acordado, mas admirando, se você me permite – eu disse satisfeito e com rispidez.

– Sim, mas é claro, é claro! Meu caro, você não deveria ser matemático, mas um poeta, sim, um poeta! Eu juro, passe para o nosso lado, o dos poetas, sim? Bem, se você quiser, providencio num instante. E então?

R-13 falava engasgando, as palavras esguichavam dele, de seus lábios grossos voavam gotas; cada "p" era um chafariz, "poetas", um chafariz.

– Eu sirvo e continuarei a servir o saber – franzi o cenho: não gosto e não entendo as piadas, mas R-13 tinha o mau hábito de brincar.

– Ora essa: o saber! O seu saber é uma total covardia. Sim, isso é a verdade. Vocês simplesmente querem cercar o infinito com pequenas paredes, mas vocês têm medo de olhar atrás delas. Sim! E se olharem, fecharão os olhos. Sim!

– Os muros são a base de toda a humanidade... – comecei.

R esguichava o chafariz, e O ria, rosada e redonda. Não dei mais importância: riam, tanto faz. Eu não estava para isso. Precisava destruir alguma coisa, afogar essa maldita $\sqrt{-1}$.

– O que vocês acham, – propus – vamos para minha casa resolver alguns problemas matemáticos (lembrei-me da hora silenciosa da noite anterior, talvez também seja assim hoje).

O lançou um olhar para R; e também me lançou um olhar claro e redondo, as bochechas tingiram-se um pouco da cor suave e emocionante dos nossos talões.

– Mas hoje eu... Hoje eu tenho um talão para ele – disse, apontando para R –, e à noite ele estará ocupado... Então...

Os lábios úmidos envernizados estalaram, bondosos:

– Bem, veja, para nós meia hora já é suficiente. Não é, O? Quanto aos seus problemas de matemática, eu não sou um aficionado; vamos só à minha casa e fiquemos um tempo por lá.

Eu tinha medo de ficar a sós comigo, ou melhor, com aquele novo desconhecido, que por uma estranha coincidência tinha meu número – D-503. Fui à casa dele, de R. É verdade que ele não é preciso, rítmico, ele tem uma lógica ridícula e distorcida, mas, no entanto, somos amigos. Não foi em vão que três anos atrás nós escolhemos juntos a querida e rosada O. Isso nos uniu de uma maneira mais forte do que em nossos tempos de escola.

Logo em seguida estávamos na habitação de R. Tudo parecia exatamente como na minha: a Tábua, as poltronas de vidro, a mesa, o armário e a cama. Mas, assim que entrou, ele deslocou uma poltrona, depois a outra, os planos mudaram, tudo saiu da dimensão predeterminada, ficou não euclidiano. R ainda era exatamente o mesmo. Sempre foi o último da classe em taylorismo e matemática.

Relembramos o velho Pliapa: como nós, menininhos, colávamos bilhetinhos de agradecimento em suas pernas de vidro inteiras (nós adorávamos Pliapa). Recordamos nosso professor de religião*. Ele falava excepcionalmente alto – dos alto-falantes soprava um vento, e nós, as crianças, a plenos pulmões berrávamos os textos depois dele. Certa vez, o atrevido R-13 introduziu no megafone um pedaço de papel mastigado: em vez de textos, ele disparou papel mastigado. R, naturalmente, foi castigado. O que ele fizera fora detestável, é claro, mas, naquele momento, caímos na risada, o triângulo inteiro, e reconheço que eu também.

– O que teria acontecido se ele fosse um ser vivo como eram os antigos? O que teria, se... – "s", o chafariz jorrava dos lábios grossos...

O sol penetrava através do teto e das paredes; por cima, pelas laterais, o sol refletia embaixo. O estava sentada no colo de R-13, e havia minúsculas gotinhas de sol nos seus olhos azuis. De alguma maneira, senti-me acalentado, separei-me deles. A $\sqrt{-1}$ se extinguiu, não me inquietava...

---

* Sem dúvida, o discurso não se trata da "Lei de Deus" dos antigos, mas da lei do Estado Único. [N. do A.]

– Então, como vai a sua "Integral"? Logo vamos voar para instruir os habitantes de outros planetas, hein? Bem, ponha para fora, ponha para fora! Senão nós, poetas, lhe escreveremos tanto, que a sua "Integral" nem levantará voo. Todos os dias, das 8 às 11h... – R balançou a cabeça, coçou a nuca. Esta parecia uma maleta quadrada presa por detrás (lembrava um quadro antigo, "Na carruagem").

Fiquei animado:

– Você também escreve para a "Integral"? Então, diga, o quê? O que, por exemplo, hoje?

– Hoje, sobre nada. Eu estava ocupado com outras coisas... – o "s" respingou diretamente em mim.

– Que outras coisas?

R franziu o cenho:

– Quê, quê! Está bem, como queira, com uma sentença. Poetizei uma sentença. Um idiota, um de nossos poetas... Por dois anos sentou-se junto conosco, como se não houvesse nada. E, de repente: "Eu – disse ele – sou um gênio, um gênio, estou acima da lei". E outras sujeiras... Bem, isso... Ah!

Os lábios grossos penderam, o verniz foi arrancado de seus olhos. R-13 virou-se de um salto e cravou os olhos em algum lugar na parede. Eu olhava para a sua maleta firmemente fechada e pensei: o que está se remexendo ali na sua maleta?

Houve um minuto de embaraço e silêncio assimétrico. Não ficou claro para mim o que estava acontecendo, mas alguma coisa acontecia.

– Felizmente, os tempos antediluvianos de todo o tipo de Shakespeares e Dostoiévskis, ou quem quer que fossem, passaram – falei num tom propositalmente alto.

R virou o rosto. As palavras, assim como antes, salpicavam, jorravam dele, mas me pareceu que o alegre verniz de seus olhos já havia sumido.

– Sim, meu caro matemático, felizmente, felizmente, felizmente! Nós somos a média aritmética mais feliz... Como vocês dizem: integrar do zero ao infinito, do cretino ao Shakespeare... É isso!

Não sei por quê – como se fosse completamente fora de propósito –, mas lembrei-me daquela mulher, o seu tom de voz, algum fio fino que se estendia entre ela e R. (Qual?) De novo $\sqrt{-1}$ começou a remexer-se. Abri minha placa: 16h25. Ainda restavam 45 minutos no talão cor-de-rosa deles.

– Bem, já está na hora... – beijei O, apertei a mão de R e dirigi-me para o elevador.

Na avenida, enquanto atravessava para o outro lado, olhei ao redor: no luminoso bloco de vidro do edifício iluminado por todos os lados pelo sol, aqui e acolá havia células cinza, de tons azulados, não transparentes, com as cortinas fechadas, células no ritmo da felicidade taylorizada. No sétimo andar meus olhos encontraram a célula de R-13: ele já havia fechado as cortinas.

Querida O... Querido R... Também há nele (não sei por que "também", mas já que escrevi, então que seja), nele também há algo que não é de todo claro para mim. E mesmo assim, eu, ele e O somos um triângulo, ainda que não um equilátero, mas mesmo assim um triângulo. Nós, para falar na língua dos nossos antepassados (talvez a vocês, meus leitores de outros planetas, essa língua seja mais compreensível), nós somos uma família. Como é bom, às vezes, ainda que rapidamente, descansar num simples e forte triângulo, isolar-se de tudo que...

9ª ANOTAÇÃO

Resumo:

A liturgia. Os iambos e troqueus. A mão de ferro fundido.

Um dia claro e festivo. Em dias como este você esquece as próprias fraquezas, imprecisões e enfermidades, tudo é cristalino e inquebrantável, eterno como o nosso novo vidro...

A Praça do Cubo. Sessenta e seis potentes círculos concêntricos: as tribunas. E sessenta e seis fileiras: rostos quietos e iluminados, os olhos refletindo o resplendor do céu, ou, quem sabe, o resplendor do Estado Único. As flores de um vermelho vivo, como sangue, como os lábios das mulheres. Delicadas guirlandas nos rostos das crianças nas primeiras fileiras, próximo ao lugar da ação. Um silêncio profundo, severo, gótico.

A julgar pelas descrições que chegaram até nós, na época dos antigos eles experimentavam algo semelhante em suas "missas". Mas serviam a um Deus absurdo e desconhecido, ao passo que nós servimos a um Deus plausível e cuja imagem é precisamente conhecida; o Deus deles não lhes deu nada além de uma busca eterna e torturante; o Deus deles não imaginou nada mais inteligente do que oferecer-se em sacrifício, sem saber por quê; nós nos sacrificamos a Deus, ao Estado Único com calma, de maneira bem pensada, um sacrifício racional. Sim, essa era a liturgia solene do Estado Único, em memória aos dias e anos difíceis da Guerra dos Duzentos Anos, uma grandiosa celebração da vitória de todos sobre um, da soma sobre a unidade...

Um número estava nos degraus onde o sol enchia o Cubo. Branco... nem sequer estava branco, mas já sem cor, um rosto de vidro, lábios de vidro. Apenas viam-se seus olhos negros absorvendo e tragando buracos, e aquele mundo sinistro no qual ele estava somente alguns minutos antes. A placa dourada com o número já fora tirada. As mãos estavam atadas com uma fita púrpura (um velho costume que, pelo visto, tem explicação na antiguidade, quando tudo isso não era celebrado em nome do Estado Único, e os condenados, é compreensível, sentiam-se no direito de resistir, então as mãos deles eram geralmente imobilizadas com correntes).

E em cima, no Cubo, ao lado da Máquina havia uma figura como que feita de metal, a que nós chamávamos de Benfeitor. Daqui debaixo, não se podia distinguir seu rosto: apenas se via que ele era determinado por traços severos, grandiosos e quadrados. As mãos, em compensação... Como ocorre às vezes nas fotografias, se estão demasiado próximas, posicionadas em primeiro plano, as mãos aparecem enormes, prendem o olhar, encobrem todo o resto. Eram mãos pesadas, ainda que tranquilamente pousadas sobre os joelhos, ficou claro: eram pedras, e os joelhos quase não suportavam seu peso...

E, de repente, uma dessas mãos enormes levantou-se lentamente – num gesto vagaroso de ferro fundido – e da tribuna, obedecendo à mão erguida, um número aproximou-se do Cubo. Era um dos Poetas Estatais, a quem tocara a sorte e a felicidade de compartilhar, coroar essa celebração com seus versos. Ressoaram sobre a tribuna os divinos iambos de cobre sobre o louco de olhos de vidro que permanecia em pé ali, nos degraus, esperando a consequência lógica de suas loucuras.

... Um incêndio. Nos iambos, as casas balançam, espargem para o alto um líquido dourado, desmoronam. As árvores verdes se torcem, derramando seiva, restam apenas as cruzes negras das sepulturas. Mas Prometeu surgiu (somos nós, naturalmente):

"E atrelou o fogo à máquina, o aço,
E com a lei o caos aprisionou".

Tudo novo é de aço: o sol de aço, as árvores de aço, as pessoas de aço. De repente, algum louco queria "libertar o fogo dos grilhões" – e de novo arruína tudo...

Por desgraça, tenho uma péssima memória para poemas, mas de um eu me lembro: não há como escolher imagens mais instrutivas e belas.

Novamente o gesto lento e pesado, e na escadaria do Cubo apareceu um segundo poeta. Até me soergui: não pode ser! Não, seus negros lábios gordos, era ele... Por que é que ele não havia me dito antes que tinha pela frente uma tarefa elevada? Seus lábios tremiam, estavam cinza. Eu o entendo: estava diante do Benfeitor, diante da multidão de números Guardiões, mas ainda assim, estava tão agitado...

Troqueus ásperos e rápidos, afiados como um machado. Sobre um crime sem precedentes, sobre versos profanos em que se chamava o Benfeitor... Não, não levantarei minha pena para repeti-los.

R-13 estava pálido e não olhava para ninguém (não esperava essa timidez dele), desceu as escadas e sentou-se. Por um segundo diferencial minúsculo pareceu-me que perto dele estava um certo rosto, penetrante, negro e triangular, mas imediatamente desapareceu: meus olhos, e milhares de outros olhos, se voltaram para cima, para a Máquina. Lá, a mão sobre-humana fez o terceiro gesto. E, oscilando por um vento invisível, o criminoso caminhou lentamente, um degrau, depois outro, o último passo de sua vida, com o rosto virado para o céu e a cabeça atirada para trás, em seu último ato.

Pesado, de pedra, como o destino, o Benfeitor andou em volta da Máquina, colocou sua mão enorme sobre a alavanca... Nem um sussurro, nem uma respiração: todos os olhos fixados naquela mão. Deve ser um turbilhão ígneo e arrebatador ser o instrumento, ser a força resultante de centenas de milhares de volts. Que grande sorte!

Um segundo incomensurável. A mão ligou a corrente e caiu. Brilhou um raio insuportável, agudo e cortante, como um tremor, quase se ouviu o estalido dos tubos da Máquina. O corpo estendido, envolto por uma suave e brilhante neblina fina, consumiu-se mais e mais diante de nossos olhos até se dissolver com uma rapidez terrível. E nada restou: apenas uma poça de água quimicamente limpa, que ainda um minuto antes fazia bater violento e vermelho o coração...

Tudo isso era simples, e cada um de nós já conhecia: sim, a dissociação da matéria na cisão dos átomos do corpo humano. Contudo, cada vez era como um milagre, como um sinal da potência sobre-humana do Benfeitor.

Acima, diante Dele, os rostos inflamados de dez números femininos com os lábios semiabertos de comoção, carregando flores* que balançavam ao vento.

Segundo o costume antigo, dez mulheres coroavam de flores o unif do Benfeitor, ainda molhado de gotas. Com passos majestosos de sumo sacerdote, Ele desceu lentamente, e, sem se apressar, passou pelas tribunas, e, atrás Dele, as mãos brancas e delicadas das mulheres erguidas e uma tormenta de clamores dos unimilhões de números. Continuaram os mesmos clamores em honra da multidão de Guardiões, que presenciava de maneira invisível de algum lugar próximo daqui, das nossas fileiras. Quem sabe? Talvez, precisamente eles, os Guardiões, tenham sido previstos na fantasia do homem antigo quando esse criou ternos e terríveis "arcanjos", designados no nascimento de cada pessoa.

Sim, havia algo das antigas religiões, algo de purificador como uma tempestade ou uma tormenta em toda a celebração. Vocês, que acabaram por ler isso, estão familiarizados com momentos como esse? Tenho pena de vocês se não estão...

---

* Naturalmente, são do Museu de Botânica. Pessoalmente não vejo nada de bonito nas flores, como a tudo o que pertence ao mundo selvagem há muito banido pelo Muro Verde. Apenas é belo o útil e racional: máquinas, botas, fórmulas, alimentos etc. [N. do A.]

10ª ANOTAÇÃO

Resumo:

A carta. A membrana. O eu desgrenhado.

O dia de ontem foi para mim semelhante ao papel através do qual os químicos filtram suas soluções: todas as partículas em suspensão, todo o excedente, ficam nesse papel. Pela manhã saí de casa completamente destilado, transparente.

Embaixo, no vestíbulo, a plantonista atrás de sua mesa olhava para o relógio e anotava o horário de entrada dos números. Seu nome era Iu... Aliás, é melhor não dar o seu número porque tenho medo de vir a escrever algo ruim sobre ela, embora, na realidade, ela seja uma mulher de idade muito respeitável. A única coisa que não gosto nela são suas bochechas um pouco caídas, como as guelras dos peixes (você pode pensar: o que há de errado nisso?).

Sua pena rangeu, e vi a mim mesmo na página: "D-503" e um borrão de tinta ao lado.

Enquanto eu tentava prestar atenção nisso, ela, de repente, levantou a cabeça e me dirigiu um sorriso semelhante a uma gota de tinta:

– Tem uma carta. Sim. Você a receberá, querido, sim, sim, receberá.

Eu sabia que a carta havia sido lida por ela, e ainda teria que passar pelo Departamento dos Guardiões (acho que é desnecessário explicar essa regra natural) e eu a receberia antes das 12 horas. Mas eu estava perturbado por aquele sorriso. Aquela gota de tinta havia turvado minha solução transparente. De tal maneira que mais tarde, na construção da "Integral", de modo algum pude me concentrar, inclusive cometi um erro nos cálculos, coisa que nunca me acontecera antes.

Às 12 horas, de novo as guelras de peixe marrom-rosadas, o sorriso, e finalmente a carta em minhas mãos. Não sei por que não a li lá mesmo, em vez disso, enfiei-a no bolso e me apressei para o meu dormitório. Abri-a, passei os olhos e me sentei... Era uma notificação oficial de que o número I-330 se inscrevera comigo e que hoje, às 21 horas, eu deveria apresentar-me a ela no endereço abaixo...

Não: depois de tudo o que havia acontecido, depois de tão inequivocamente ter mostrado minha posição em relação a ela. Além do que, ela sequer sabia se eu realmente fora ao Departamento dos Guardiões, não havia como ela saber que eu estivera doente, então, de modo geral, não podia... Apesar de tudo...

Minha cabeça girava, zumbia como um dínamo. O Buda, o amarelo, o lírio-do-vale, a meia-lua cor-de-rosa... Sim, e mais isso ainda: O queria vir me visitar hoje. Mostro a ela essa notificação referente à I-330? Não sei se ela acreditará (e como acreditaria, de fato?) que eu não tenho nada a ver com isso, que eu absolutamente... E sei que se seguirá uma conversa difícil, absurda e completamente ilógica... Não, isso não. Que tudo se resolva mecanicamente: apenas enviarei a ela uma cópia da notificação.

Depressa enfiei a notificação no bolso e observei minhas terríveis mãos de macaco. Lembrei-me de como ela, I, no passeio, pegara minha mão e a contemplara. É possível que ela realmente...

Eram 20h45. A noite era branca. Tudo era de vidro verde, mas um tipo diferente, um vidro frágil, não era o nosso, o autêntico. Era uma casca fina de vidro sob a qual algo girava, voava, zumbia... Não me surpreenderia se agora as cúpulas dos auditórios soltassem lentas e circulares nuvens de fumaça em direção ao céu, e a lua cheia sorrisse, manchada de tinta como aquela mulher atrás da mesa hoje pela manhã, e que em todas as casas ao mesmo tempo fechassem as cortinas e por trás delas...

Estranha sensação: sentia que havia em minhas costelas uma barra de ferro obstruindo totalmente o coração, apertando-o sem deixar espaço. Eu estava em pé junto à porta de vidro com o número dourado: I-330. I estava de costas para mim, sentada à mesa escrevendo alguma coisa. Entrei...

– Aqui está... – estendi-lhe o bilhete cor-de-rosa. – Recebi hoje a notificação e compareci.

– Como você é pontual! Um momento, você me permite? Sente-se, estou quase acabando.

Voltou a pôr os olhos na carta – e o que havia por dentro das suas cortinas fechadas? O que ela dirá? O que irá fazer em um segundo? E como saber, como calcular, quando toda ela é de lá, do mundo antigo e selvagem dos sonhos?

Fiquei contemplando-a em silêncio. Senti que minhas costelas eram como barras de ferro e comprimiam – definitivamente, comprimiam – o meu coração. Quando ela fala, seu rosto parece uma roda brilhante que gira rapidamente: não é possível discernir alguns raios. Mas agora a roda estava parada. Vi uma estranha combinação: suas sobrancelhas escuras subiam alto até as têmporas, formando um engraçado triângulo agudo que apontava para cima, e duas profundas ruguinhas que iam do nariz aos cantos da boca. E esses dois triângulos de alguma maneira contradiziam um ao outro, punham em todo o rosto aquele desagradável e irritante X, como uma cruz: um rosto riscado por uma cruz.

A roda começou a girar, os raios se fundiram...

– Você não foi ao Departamento dos Guardiões?

– Eu estive... Não pude, estive doente.

– Sim, pois foi isso que pensei: alguma coisa deve tê-lo impedido, não importa o quê (sorriu com os dentes pontiagudos). Em compensação, agora você está em minhas mãos. Você se lembra: "Qualquer número que não se manifestar no curso de 48 horas é considerado...".

Meu coração batia tão forte que as barras começaram a envergar. Como um menininho tolo eu havia sido apanhado e como um menininho tolo fiquei calado. Sentia que estava de pés e mãos atados...

Ela se levantou e se esticou preguiçosamente. Apertou o botão e com um suave estalido as cortinas se fecharam de todos os lados. Eu estava isolado do mundo, a sós com ela.

I estava em algum lugar atrás de mim, perto do armário. Ouvi o seu unif farfalhar e cair no chão, ouvi da cabeça aos pés. E me lembrei... não: foi um relâmpago de um centésimo de segundo...

Há pouco tempo tive que calcular a curvatura de um novo tipo de membrana de rua (agora essas membranas elegantemente decoradas estão em todas as avenidas e gravam as conversas de rua para o Departamento dos Guardiões). E me lembrei: essa membrana côncava, rosada e trêmula era um ser estranho, composto de apenas um órgão, o ouvido. Nesse momento, eu era essa membrana.

O estalar de um botão na gola, no peito, e mais outro embaixo. A seda cristalina farfalhou nos seus ombros, nos joelhos, no chão. Eu ouvia com mais clareza do que via, uma perna após a outra saía daquele monte cinza-azulado de seda...

A membrana tensionada com força tremia e gravava o silêncio. Não: o bater de um martelo forte com pausas infinitas sobre a barra. Eu ouvia e via: ela estava atrás de mim, pensando por um instante.

Então as portas do armário bateram, depois alguma tampa e de novo a seda, seda...

– Bem, por favor.

Virei-me. Ela estava com um leve vestido amarelo-açafrão, de estilo antigo. Isso era mil vezes mais terrível do que se ela estivesse sem nada. Duas pontas agudas ardiam, rosadas, através do tecido fino, duas brasas entre as cinzas. Dois delicados e redondos joelhos...

Ela se sentou numa poltrona baixa. Na mesinha quadrangular diante dela havia um frasco com algum líquido verde, da cor de veneno, e dois minúsculos copinhos com hastes. Do canto de sua boca saía uma fumaça por um antigo e fino tubo de papel (agora esqueci como se chamava).

A membrana ainda vibrava. O martelo batia ali, dentro de mim, deixando a barra vermelha incandescente. Eu ouvia claramente cada golpe e... E se de repente ela também estivesse ouvindo?

Mas ela fumava tranquilamente, olhava para mim tranquilamente e batia as cinzas com negligência sobre o meu bilhetinho cor-de-rosa.

Perguntei com o maior sangue-frio que consegui reunir:

– Escute, nesse caso, por que é que você se inscreveu comigo? E para que me obrigar a vir aqui?

Fez como se não me escutasse. Encheu um copinho com a bebida do frasco e deu um gole.

– Licor delicioso. Você quer?

Só então eu entendi: álcool. O dia de ontem me fulminou como um raio. O rápido raio de ontem: a mão de pedra do Benfeitor, o insuportável corte, e lá, no Cubo, aquele corpo estendido, com a cabeça atirada para trás. Estremeci.

– Escute – eu disse –, você sabe que a todos que se envenenam com nicotina e, sobretudo, com álcool, o Estado Único age de forma implacável...

As sobrancelhas escuras ergueram-se até as têmporas, formando um triângulo zombeteiro:

– Eliminar rapidamente uns poucos é mais racional do que dar a muitos a possibilidade de destruírem-se, degenerarem-se etc. É uma verdade que chega a ser obscena.

– Sim... obscena.

– Sim, se soltássemos na rua esse monte de verdades nuas... Não, imagine você... bem, por exemplo, esse meu admirador fiel que você já conhece. Imagine que ele se despisse de toda essa vestimenta mentirosa e mostrasse sua forma verdadeira ao público... Oh!

Ela ria. Mas eu via claramente o seu aflito triângulo inferior: duas rugas profundas dos cantos da boca até o nariz. E, por alguma razão, essas rugas me fizeram compreender: aquele homem duplamente encurvado, corcunda e de orelhas em forma de asas, a tinha abraçado como ela está agora... Ele...

Aliás, tentarei reproduzir agora as minhas sensações anormais de então. Neste momento, enquanto escrevo, percebo muito bem: tudo isso deve ser assim. Ele, como todo número honrado, tem direito à felicidade e seria injusto se... Bem, isso é muito claro.

I ria longamente e de maneira muito estranha. Depois olhou fixamente, para dentro de mim:

– O importante é que me sinto completamente calma com você. Você é tão gentil. Oh, e tenho certeza de que você não está pensando em ir ao Departamento e denunciar-me por beber licor e fumar. Você estará doente, ou ocupado, ou sei lá o quê. E mais: tenho certeza de que você beberá comigo esse veneno fascinante...

Que tom mais insolente e escarnecedor. Tive certeza: agora eu a odiava de novo. Por outro lado, por que "agora"? Eu a odiei o tempo todo.

Ela entornou todo o veneno verde do copinho, levantou-se, o rosa transparecendo através do açafrão, deu alguns passos, parou atrás da minha poltrona...

De repente, o braço em volta do meu pescoço, lábios nos lábios... Não, em algum lugar mais profundo, mais terrível... Juro que foi algo completamente inesperado para mim, talvez só porque... Eu não poderia querer – agora compreendo com absoluta nitidez – não poderia querer aquilo que aconteceu depois.

Os lábios insuportavelmente doces (suponho que seja o gosto do "licor") verteram um gole do veneno ardente, e mais um, e mais um... Desprendi-me da terra como um planeta independente, rotacionando freneticamente, disparando para baixo, para baixo, por alguma órbita obscura.

Posso descrever o que se seguiu apenas de maneira aproximada, apenas por meio de analogias mais ou menos aproximadas.

Uma coisa dessas nunca me passou pela cabeça antes, mas foi exatamente assim: nós, na Terra, andamos o tempo todo sobre um mar vermelho e fervente de fogo, oculto lá, nas entranhas do planeta. Mas nós nunca pensamos sobre isso. E se, de repente, a casca sob os nossos pés começasse a se vitrificar, e de repente pudéssemos ver...

Transformei-me em vidro. Vi a mim mesmo por dentro. Havia dois de mim. Um eu era o D-503 de antes, o número D-503, mas o outro... Antes, ele apenas mostrara um pouco suas patas peludas fora da casca, mas agora saíra completamente, a casca estalava, rompera-se em pedaços e... e o quê, agora?

Com todas as minhas forças agarrei-me àquele fio – os braços da poltrona –, e perguntei, para ouvir meu antigo eu:

– Onde... Onde você conseguiu esse... esse veneno?

– Oh, isso! Só um médico, um de meus...

– "De meus"? "De meus" o quê?

Subitamente, o outro eu saltou e começou a gritar:

– Não admito! Não quero que haja ninguém além de mim. Vou matar qualquer um... Porque você, eu e você...

Eu vi: ele a agarrou brutalmente com as patas peludas, rasgou seu vestido de seda fina e cravou-lhe os dentes, lembro-me com exatidão: foram justamente os dentes.

Já não sei como I escapou. Os olhos fechados pelas malditas e impenetráveis cortinas, ela em pé, encostada no armário, escutando-me.

Lembro-me de estar no chão abraçando suas pernas, beijando-lhe os joelhos e implorando: "Agora, agora mesmo, nesse minuto...".

Os dentes pontiagudos, as sobrancelhas triangulares e escarnecedoras. Ela se inclinou e em silêncio desprendeu minha placa.

"Sim! Sim, querida, querida", e comecei a tirar apressadamente meu unif. Mas I, ainda em silêncio, levou até meus próprios olhos o relógio da minha placa. Faltavam 5 minutos para as 22h30.

Congelei. Eu sabia o que significava aparecer na rua depois das 22h30. Toda a minha loucura foi carregada de uma vez só. Eu era eu. Uma coisa ficou clara para mim: eu a odeio, odeio, odeio!

Sem me despedir e sem olhar para trás, lancei-me para fora do cômodo. Prendi a placa de qualquer jeito na corrida pelos degraus e, por precaução, fui pelas escadas (estava com medo de encontrar alguém no elevador), saltei na rua deserta.

Tudo estava em seu lugar, tão simples, comum, em conformidade com a lei: as casas de vidro com luzes brilhantes, um céu pálido e cristalino, a noite verdejante e sem movimento. Mas sob esse vidro frio e sem ruído, algo rubro e desgrenhado sofria, silencioso e violento. E eu, sem fôlego, corria apressadamente para não me atrasar.

De repente, senti que a placa que eu havia prendido depressa enquanto corria estava se desprendendo. Ela se soltou e retiniu sobre a calçada de vidro. Inclinei-me para pegá-la e naquele segundo de silêncio percebi passos de alguém atrás de mim. Virei-me: algo pequeno e encurvado virava a esquina. Pelo menos assim me pareceu.

Corri a toda velocidade, apenas o ar assobiava nos meus ouvidos. Parei na entrada: o relógio indicava um minuto para as 22h30. Ouvi com atenção: não havia ninguém atrás de mim. Tudo isso evidentemente havia sido uma fantasia absurda, efeito do veneno.

Foi uma noite torturante. A cama debaixo de mim subia, descia e subia de novo, flutuava sinuosamente. Tentei convencer-me disso: "À noite, os números devem dormir; isso é obrigatório, assim como o é trabalhar durante o dia. É imprescindível para poder trabalhar de dia. Não dormir à noite é criminoso...". E mesmo assim não pude, não pude.

Estou arruinado. Não sou capaz de cumprir minhas obrigações para com o Estado Único... Eu...

11ª ANOTAÇÃO

Resumo:

... Não, não posso, que seja assim, sem resumo.

Entardecer. Neblina suave. O céu estava coberto por um tecido leitoso e dourado, e não era visível o que havia adiante, mais acima. Os antigos sabiam que lá vivia o seu grandioso, cético e entediado Deus. Nós sabemos que lá existe o puro azul cristalino, o obsceno nada. Neste momento eu não sei o que há lá, aprendi demais. O conhecimento é a absoluta certeza de que ele é infalível: isso é a fé. Eu tinha uma fé inabalável em mim mesmo, acreditava que sabia tudo de mim mesmo. Mas agora...

Estou diante do espelho. Pela primeira vez na vida – exatamente, pela primeira vez na minha vida – vejo-me com clareza, precisão e de maneira consciente. Com surpresa vejo-me como algum tipo de "ele". Mas eu sou ele: sobrancelhas negras traçadas em linha reta; entre elas, como uma cicatriz, uma ruga vertical (não sei se ela estava ali antes). Olhos cinza, de aço, circulados pela sombra de uma noite de insônia, e atrás desse aço... Acontece que nunca soube o que havia ali. Desde "ali" (esse "ali" é ao mesmo tempo aqui, mas infinitamente longe) e desde "ali" contemplo a mim e a ele também, e sei com firmeza que este, com as sobrancelhas traçadas em linha reta, é um estranho, alheio a mim, encontrei-me com ele pela primeira vez na vida. Mas eu sou o real, eu, não ele...

Não: ponto final. Tudo isso são tolices, todas essas sensações ridículas são delírios, resultado do envenenamento de ontem... Mas com o quê: com o gole do veneno verde, ou com ela? Tanto faz. Anoto isso apenas para mostrar como se pode, de maneira estranha, se emaranhar e perder a tão precisa e afiada razão humana. Essa razão foi capaz de fazer o infinito digerível até mesmo para os assustados antigos, mediante a...

O numerador tocou, e as cifras: R-13. Até fiquei feliz, senão estaria sozinho agora...

20 MINUTOS DEPOIS

Na superfície do papel, num mundo bidimensional, estas linhas estão lado a lado, mas em outro mundo... Estou perdendo minha capacidade numérica: 20 minutos podem ser 200 ou 200.000. É tão absurdo: tranquilo, comedido, refletindo cada palavra e anotando o que se passou entre mim e R. É o mesmo que estar sentado na poltrona com as pernas cruzadas ao lado de sua cama e observando com curiosidade como você mesmo se contorce nesta cama.

Quando R-13 entrou, eu estava completamente tranquilo e normal. Com um sentimento de admiração sincera, comecei a falar sobre como ele se saíra magnificamente bem ao compor em troqueus a sentença e que, mais do que tudo, eram precisamente aqueles troqueus que haviam cortado em pedaços, aniquilado aquele louco.

– E mais: se tivesse me proposto fazer um plano esquemático da Máquina do Benfeitor, sem dúvida eu teria de alguma maneira colocado nesses planos os seus troqueus – concluí.

De repente, vi os olhos de R apagarem-se, seus lábios ficaram cinza.

– O que há com você?

– O quê? Bem... Bem, só me aborrecem todos em volta: a sentença, a sentença. Não quero mais falar sobre isso, isso é tudo. Não quero mais!

Ele franziu o cenho, esfregou a cabeça, essa sua maletinha de conteúdo estranho e incompreensível para mim. Uma pausa. Então descobriu algo em sua maletinha, retirou, desdobrou, e tendo desdobrado, seus olhos cobriram-se com um verniz de riso, e ele deu um salto.

– Veja, estou compondo para a sua "Integral"... Sim, Sim!

Como antes: seus lábios me golpeavam, me salpicavam, as palavras jorravam como um chafariz.

– Compreende ("p": um chafariz), é como a antiga lenda sobre o Paraíso... É sobre nós, sobre o agora. Sim! Pense bem. Aqueles dois no Paraíso estavam diante de uma escolha: ou a felicidade sem liberdade, ou a liberdade sem felicidade; não havia terceira opção. Eles, imbecis, escolheram a liberdade, é compreensível, depois de séculos sentindo falta dos grilhões. Os grilhões, compreende, são a causa da dor do mundo. Séculos! E apenas nós redescobrimos como voltar à felicidade... Não, continue, continue ouvindo! Nós e o antigo Deus estamos lado a lado, na mesma mesa. Sim! Nós ajudamos Deus a vencer definitivamente o diabo, foi ele que incitou as pessoas a violar a proibição e provar a nefasta liberdade, ele é uma cobra escarnecedora. E nós pisamos na cabeça dele, zás! E pronto: o Paraíso retorna. E de novo nós seremos puros e inocentes como Adão e Eva. Nenhuma confusão sobre o bem e o mal: tudo é muito simples e paradisíaco, infantilmente simples. O Benfeitor, a Máquina, o Cubo, o Sino de Gás, os Guardiões, tudo isso é bom, tudo isso é majestoso, perfeito, nobre, elevado, de uma pureza cristalina. Porque isso protege a nossa falta de liberdade, isto é, a nossa felicidade. Os antigos começaram a julgar, a ordenar, a quebrar a cabeça: é ético, antiético... Bem, de acordo. Em uma palavra, que tema para um poema sobre o Paraíso, hein? E terá um tom sério... compreende? Que coisa, hein?

Só faltava não ter compreendido. Lembro que pensei: "Que aspecto ridículo e assimétrico ele tem, no entanto, que mente tão racional". E por causa disso ele me era tão próximo, do eu verdadeiro (ainda considero o eu anterior como o verdadeiro eu, tudo agora, naturalmente, é apenas uma doença).

R, evidentemente, havia lido na minha testa, abraçou-me pelos ombros e caiu na gargalhada.

– Ah, você... Adão! Sim, aliás, a propósito de Eva...

Ele revirou o bolso, tirou sua agenda e a folheou.

– Depois de amanhã... não, em dois dias, O tem um talão cor-de-rosa com você. Como está para você? Como antes? Quer que ela...

– Sim, claro.

– Direi para ela. Ela mesma, veja, se sente coibida... Que história, lhe digo! Eu sou apenas um talão cor-de-rosa, mas você... Ela não diz quem é essa quarta pessoa que penetrou em nosso triângulo. Quem é? Confesse, pecador, hein?

Dentro de mim levantaram-se as cortinas: o roçar da seda, o frasco verde, os lábios... Sem motivo e fora de propósito, soltei (se eu tivesse me contido!):

– Diga-me: alguma vez você teve a oportunidade de provar nicotina ou álcool?

R encolheu os lábios, olhou-me de soslaio. Eu ouvia com total clareza os seus pensamentos: "Meu amigo, meu amigo... Mas apesar de tudo...". E respondeu:

– Bem, como dizer? Na realidade, não. Mas conheci uma mulher...

– I – eu gritei.

– Como você... Você também esteve com ela? – pôs-se a rir, engasgando-se e depois salpicando saliva.

Meu espelho estava pendurado de tal maneira que para se olhar nele era preciso ver através da mesa: daqui, da poltrona, eu apenas podia ver minha testa e as sobrancelhas.

Então eu, o verdadeiro, vi no espelho a linha reta estropiada e saltitante das sobrancelhas, e meu verdadeiro eu ouviu um grito selvagem e abominável:

– Como "também"? Não, o que quer dizer "também"? Não, exijo saber!

Os lábios negroides estavam estirados. Os olhos arregalados... O eu verdadeiro agarrou pelo colarinho o outro eu – selvagem, desgrenhado, de respiração pesada. Eu, o verdadeiro, disse para R:

– Desculpe-me, pelo Benfeitor. Estou completamente doente, não durmo. Não entendo o que acontece comigo...

Os lábios grossos sorriram brevemente:

–Sim, sim, sim! Eu entendo, eu entendo! Isso me é familiar... teoricamente, sem dúvida, teoricamente. Adeus!

Na porta, ele virou-se e, como se fosse uma pequena bola preta, jogou um livro sobre a mesa:

– Meu último... trouxe de propósito e por pouco não esqueci. Adeus... – o "d" espirrou em mim, e ele partiu...

Fiquei só. Ou, mais exatamente: a sós com esse outro "eu". Na poltrona, cruzei as pernas, e de "lá" observei com curiosidade como eu, eu mesmo, me retorcia na cama.

Por que, por que será que por três anos inteiros eu e O vivemos tão amigavelmente, mas de repente, agora, apenas uma palavra daquela mulher sobre... É possível que toda essa loucura – o amor, o ciúme – sejam apenas idiotices dos livros antigos? E o principal é que me envolvem! As equações, as fórmulas, as cifras, e... isso, não entendo nada disso! Nada... Amanhã mesmo irei à casa de R e direi que...

Não é verdade: não irei. Nem amanhã, nem depois de amanhã, nunca mais irei. Não posso, não quero vê-lo. É o fim! O nosso triângulo desmoronou.

Estou só. Anoitece. Neblina suave. O céu está coberto por um tecido leitoso e dourado, se eu soubesse, o que há lá, mais acima? E se eu soubesse: quem sou eu? Qual sou eu?

12ª ANOTAÇÃO

Resumo:

A limitação do infinito. O anjo. Reflexões sobre poesia.

Apesar de tudo, parece-me que recuperarei a saúde, que posso me recuperar. Dormi muito bem. Não tive nenhum daqueles sonhos ou outros fenômenos doentios. Amanhã a querida O virá me visitar, tudo será simples, correto e limitado, como um círculo. Não tenho medo da palavra "limitação": o trabalho superior que há para o homem é o da razão, que se resume precisamente na contínua limitação do infinito, no fracionamento do infinito em convenientes, fáceis e digeríveis porções, em diferenciais. É exatamente nisso que está a divina beleza do meu elemento, na matemática. E é nesse ponto que lhe falta a compreensão dessa própria beleza. Por outro lado, isso é apenas uma associação casual.

Pensava tudo isso sob o ritmo métrico dos golpes das rodas da estrada subterrânea. Escandi mentalmente o ruído das rodas em versos (como no livro de ontem, de R). Senti que atrás de mim alguém se inclinava cuidadosamente sobre o meu ombro e olhava a página aberta que eu lia. Sem me virar, apenas com o canto do olho, eu vi: as rosadas e abertas orelhas em forma de asas, duplamente encurvado... era ele! Não quis incomodá-lo, então fingi que não o percebi. Não sei como ele foi parar ali, pois quando entrei no vagão acredito que ele não estava lá.

Esse incidente, insignificante por si só, atuou de maneira particularmente benéfica sobre mim, diria até que me fortaleceu. É tão agradável sentir o olhar vigilante de alguém que o protege afetuosamente do menor erro, do menor passo em falso. Ainda que isso soe um pouco sentimental, me vem à cabeça novamente aquela analogia dos anjos da guarda, com quem os antigos sonhavam. Quanto dessas coisas, com que eles apenas sonhavam, se materializaram em nossas vidas.

Naquele mesmo momento, quando percebi que o anjo da guarda estava atrás das minhas costas, eu me deleitava com um soneto intitulado "Felicidade". Acredito que não erro se digo que era raro em sua beleza e profundidade de pensamento. Eis os primeiros quatro versos:

Eternamente apaixonados dois vezes dois,
Eternamente fundidos em um apaixonado quatro,
Os amantes mais ardentes do mundo –
Os inseparáveis dois vezes dois...

E tudo o que se segue é sobre a sábia e eterna felicidade da tabuada de multiplicação.

Todo autêntico poeta é necessariamente um Colombo. A América existia por séculos antes de Colombo, mas apenas ele foi capaz de descobri-la. A tabuada de multiplicação existia por séculos antes de R-13, mas só ele foi capaz de encontrar o novo *Eldorado* na mata virginal das cifras. Realmente, haveria um lugar onde a felicidade seria mais sábia e desanuviada do que nesse mundo maravilhoso? O aço oxida; o Deus antigo criou o antigo, isto é, o homem capaz de errar, e, desta maneira, ele próprio errou. A tabuada de multiplicação é mais sábia e absoluta do que o antigo

Deus: ela nunca, entenda, nunca erra. E não há cifras mais felizes do que as que vivem pela lógica eterna das leis da tabuada de multiplicação. Sem variações, sem erros. Existe apenas uma verdade e um caminho verdadeiro; e essa verdade é o dois vezes dois, e o caminho verdadeiro é o quatro. Não seria um absurdo se esses pares felizes e idealmente multiplicados começassem a pensar sobre uma tal de liberdade, isto é, de forma mais clara, sobre cometer um erro? Para mim é um axioma que R-13 foi capaz de captar, o mais fundamental, o mais...

Então senti de novo, primeiro na minha nuca, depois na minha orelha esquerda, o quente e suave sopro do anjo da guarda. Com certeza ele reparou que o livro sobre os meus joelhos já estava fechado, e meus pensamentos, longe. Bem, contudo, eu estava pronto para abrir diante dele as páginas do meu cérebro: que sentimento tão tranquilizador e agradável. Lembro-me de virar a cabeça e olhá-lo nos olhos de maneira insistente e suplicante, mas ele não entendeu, ou não quis entender, e nem me perguntou nada sobre isso... Só me resta uma coisa: contar tudo a vocês, meus leitores desconhecidos (agora vocês me são tão queridos, próximos e inalcançáveis, como ele naquele momento).

Esse era meu caminho, da parte ao todo; a parte era R-13, e o majestoso todo era o nosso Instituto Estatal de Poetas e Escritores. Pensei em como não saltou aos olhos dos antigos todo o absurdo da sua literatura e poesia. A enorme e esplêndida força da palavra artística foi desperdiçada totalmente em vão. Simplesmente ridículo: qualquer um poderia escrever sobre o que lhe viesse à cabeça. Tão ridículo e absurdo como quando o mar dos antigos passava dia e noite batendo estupidamente na costa, e os milhões de quilogrâmetros contidos nas ondas eram utilizados apenas para aquecer os sentimentos dos apaixonados. Nós conseguimos extrair eletricidade desse apaixonado sussurro das ondas, das bestas salpicadas de espuma raivosa fizemos animais domésticos, e: exatamente da mesma maneira, domesticamos e dominamos os elementos poéticos selvagens de outrora. Atualmente, a poesia já não é o desregrado silvo do rouxinol: a poesia é um serviço estatal, a poesia é utilidade.

Nossas célebres "Normas Matemáticas": sem elas, será que poderíamos ter amado tão sincera e afetuosamente as quatro regras da aritmética na escola? E a clássica imagem dos "espinhos": os Guardiões são como os espinhos de uma rosa, defendendo o delicado Estado-Flor do contato grosseiro... De quem é o coração de pedra que fica indiferente à visão dos lábios inocentes de uma criança, murmurando como uma prece: "O menino mau arrancou uma rosa com as mãos. Mas o espinho cravou-se-lhe como uma agulha de aço, travesso – ai, ai – corra para casa", e assim por diante? E a "Ode Diária ao Benfeitor"? Quem, tendo-a lido, não se inclinaria com devoção diante do esforço abnegado desse Número entre os Números? E das terríveis e vermelhas "Flores das Sentenças Judiciais"? E a tragédia imortal "Aquele que se Atrasa para o Trabalho"? E o livro de cabeceira "Das Estâncias da Higiene Sexual"?

Toda a vida em sua total complexidade e beleza está eternamente gravada em palavras de ouro.

Nossos poetas já não andam mais nas nuvens: desceram para a Terra. Conosco, andam sob o compasso da severa marcha mecânica da Fábrica Musical: sua lira é o rumor matinal das escovas de dente elétricas e o terrível estalido da faísca da Máquina do Benfeitor, o majestoso eco do Hino do Estado Único, o íntimo retinido de um vaso noturno, brilhante e cristalino, o estalido emocionante das cortinas se fechando, as vozes contentes por causa de um novíssimo livro de culinária, o quase audível sussurro das membranas das ruas.

Nossos deuses estão aqui, conosco, no Departamento, na cozinha, na oficina, no banheiro. Os deuses transformaram-se em nós: *ergo*, nós nos transformamos em deuses. E até vocês, meus leitores planetários desconhecidos, iremos até vocês para tornar suas vidas divinamente racionais e exatas como a nossa...

13ª ANOTAÇÃO

Resumo:

A névoa. Tu. Um incidente completamente ridículo.

Despertei ao alvorecer; diante de meus olhos o rosado e sólido firmamento. Tudo está bem, circular. À noite, O virá. Sem dúvida já estou recuperado. Sorri e voltei a dormir.

A campainha matinal. Levanto-me e está tudo diferente, atrás do teto de vidro, das paredes, por toda parte, em tudo ao redor: uma névoa. Nuvens enlouquecidas, umas mais pesadas, outras mais leves, e ficando mais próximas, já não há limites entre o céu e a terra, tudo voa, derrete, cai, sem ter no que se agarrar. Não há mais casas: as paredes de vidro se dissolveram na névoa como cristais de sal na água. Se olhasse da calçada para os vultos escuros das pessoas nos edifícios, estes pareceriam partículas em suspensão numa delirante solução leitosa, umas pendiam baixas, outras mais altas, e outras ainda mais altas, no décimo andar. Tudo fumegava. Talvez tivesse se desencadeado algum incêndio silencioso.

Eram exatamente 11h45: olhei de propósito para o relógio, para agarrar as cifras, para que pelo menos elas se salvassem.

Às 11h45, antes de ir para as cotidianas ocupações de trabalho físico, conforme a Tábua das Horas, corri para o quarto. De repente, o telefone tocou: uma voz penetrou no meu coração como uma longa e lenta agulha:

– Ah, você está em casa! Fico feliz. Espere-me na esquina. Iremos juntos a... bom, você verá para onde.

– Você sabe perfeitamente que agora eu vou para o trabalho.

– Você sabe perfeitamente que vai fazer exatamente o que digo. Até mais. Nos vemos em dois minutos...

Dentro de dois minutos eu me encontrava na esquina. Precisava mostrar a ela que era governado pelo Estado Único, e não por ela. "Exatamente o que digo..." E ela estava segura disso, percebia-se pela voz. Bem, agora direi a ela o que é verdadeiro...

Tecidos da névoa úmida, os unifs cinzas passavam rapidamente ao meu lado e um momento depois se dissolviam de maneira inesperada na névoa. Não desprendi os olhos do relógio, eu era o pontiagudo e trêmulo ponteiro de segundos. Oito, dez minutos... Faltam três, faltam dois para as doze...

Claro. Eu já estava atrasado para o trabalho. Como eu a odeio. Mas precisava mostrar-lhe...

Na esquina, na névoa branca: sangue. Como uma faca afiada: seus lábios.

– Parece que me atrasei. Mas, tanto faz, agora já é tarde para você.

Como eu a odeio. Por outro lado, é verdade: já era tarde.

Olhei em silêncio para seus lábios. Todas as mulheres são lábios, apenas lábios. Alguns são rosados, firmes e redondos: um anel, uma delicada cerca do mundo todo. Mas aqueles: um segundo antes eles não estavam aqui, e apenas agora, como uma faca derramando gotas doces de sangue.

Mais perto, apoiados sobre meus ombros – e éramos um, ela transbordava em mim, e eu sei que deve ser assim.

Sei por cada nervo, cada fio de cabelo, cada doce e até dolorosa batida do meu coração. E que alegria era me submeter a esse "deve ser". Provavelmente, um pedaço de ferro deva se alegrar da mesma maneira ao submeter-se à inevitabilidade e precisão da lei e agarrar-se ao ímã. Uma pedra lançada para o alto vacila por um instante, depois se precipita para o solo. Uma pessoa, depois de agonizar, finalmente respira pela última vez e morre.

Lembro-me que sorri desconcertado e disse sem nenhum motivo:

– Névoa... há muita névoa.

– Tu gostas da névoa?

Esse antigo, há muito esquecido "tu". O "tu", vindo do amo para o escravo, penetrou agudo e devagar: sim, eu era um escravo, e isso também deveria acontecer, também era bom.

– Sim, é bom... – disse a mim mesmo em voz alta. E depois para ela: – Odeio a névoa. Tenho medo dela.

– Quer dizer que você a adora. Tem medo porque é mais forte que você, odeia porque tem medo, adora porque não pode submetê-la a você. É que só se pode amar o insubmisso.

Sim, é isso mesmo. E exatamente por isso, exatamente por isso que eu...

Caminhávamos os dois como se fôssemos um. Em algum lugar ao longe, por entre a névoa, o sol cantava quase audível, enchendo tudo de uma luz forte, pérola, dourada, rosa e vermelha. O mundo inteiro era uma única e imensa mulher, e nós, dentro de seu ventre, ainda não nascemos, amadurecemos alegres. Para mim ficou claro, inabalavelmente claro, tudo era por minha causa: o sol, a névoa, o rosa, o dourado, para mim...

Não perguntei a ela para onde íamos. Não fazia diferença: apenas ir, ir, amadurecer, encher-se de mais força...

– É aqui... – I parou ao lado de uma porta. – Aqui está hoje de plantão um... Eu lhe falei sobre ele aquele dia, na Casa Antiga.

De longe, protegendo cuidadosamente a visão, li no letreiro: "Departamento de Medicina". Compreendi tudo.

Era um ambiente de vidro cheio de uma névoa dourada. Tetos de vidro, garrafas coloridas, latas. Fios. Faíscas azuladas dentro de tubos.

Ali estava um homem muito delgado. Era como se ele todo tivesse sido recortado de uma folha de papel. Não faria diferença se ele se virasse, ele tinha apenas um perfil, pontiagudo e afiado: o nariz era como uma lâmina brilhante, os lábios como uma tesoura.

Não ouvi o que I disse a ele: contemplava como ela falava e senti que queria sorrir, irresistível e beatificamente. A lâmina dos lábios de tesoura reluziu, e o médico disse:

– Ora, ora. Entendo. É uma doença muito grave, não conheço nenhuma mais grave... – disse e pôs-se a rir. Com a mão delgada como um papel, escreveu rapidamente algo e deu uma folha para I; escreveu e deu outra para mim.

Eram atestados de que estávamos doentes e que não pudemos comparecer ao trabalho. Roubei meu trabalho do Estado Único, sou um ladrão, estarei sob a Máquina do Benfeitor. Mas isso estava distante de mim, era indiferente, como num livro... Peguei o papel sem hesitar nem por um segundo. Eu sabia, com meus olhos, mãos e lábios, que isso era necessário.

Na esquina, pegamos o aero da garagem quase vazia, I, como da outra vez, sentou-se ao volante, ligou o motor em "para frente", desprendemo-nos do solo e saímos flutuando. Deixamos tudo para trás: a névoa rosa e dourada; o sol, o perfil delgado e laminado do médico, que subitamente me pareceu tão querido e próximo. Antes tudo girava ao redor do sol, mas agora sei que tudo gira ao meu redor, de forma lenta, beatificamente, de olhos semicerrados...

A velha estava ao lado do portão da Casa Antiga, com sua boca amável coberta de rugas em forma de raios. É provável que estivesse fechada todos esses dias e apenas agora se abrira, e ela sorriu:

– Ah, diabinha! Não pôde trabalhar, como todos... Então está bem! Se alguma coisa acontecer, corro para avisar...

A pesada porta opaca se fechou com um rangido. Imediatamente, e com dor, meu coração se abriu amplamente, e ainda mais: de par em par. Seus lábios eram os meus, eu bebia e bebia, desprendia-me, em silêncio olhava para os olhos abertos para mim, e de novo...

O aposento estava na penumbra, mais azul, amarelo-açafrão, o couro marroquino verde-escuro, os lábios dourados do Buda, o brilho dos espelhos. Então meu antigo sonho ficou tão compreensível: tudo estava embebido de um suco rosa e dourado, tudo transbordava pelas beiradas, salpicando...

Estava maduro. E, de maneira inevitável, como o ferro e o ímã, com uma doce obediência às suas leis precisas e imutáveis, desaguei-me nela. Não havia talão cor-de-rosa, não havia conta, não havia Estado Único, não havia eu. Havia apenas seus dentes cerrados, suavemente pontiagudos, os olhos dourados totalmente abertos para mim, e, através deles, eu penetrava no interior, mais e mais profundamente. Reinava o silêncio. Apenas na esquina, a milhares de quilômetros, pingavam gotas no lavabo, e eu era o universo, e de gota em gota passavam-se eras, épocas...

Depois de colocar meu unif, inclinei-me para I e sorvi-a com o olhar uma última vez.

– Eu sabia... Eu sabia que te... – disse I bem baixinho. Ela se levantou rapidamente, colocou o unif e lançou seu pontiagudo sorriso-mordida de sempre. – Pois então, anjo caído. Agora você está perdido. Não tem medo? Bem, até logo! Você voltará sozinho. Tudo bem?

Ela abriu a porta espelhada embutida no armário. Olhando-me por cima do ombro, ela esperava. Saí, obediente. Apenas atravessei a soleira da porta e, de repente, tornou-se imperativo que ela se apertasse contra o meu ombro apenas por um segundo e nada mais.

Precipitei-me para trás, para aquele cômodo onde ela (provavelmente) ainda abotoava o unif em frente ao espelho. Entrei correndo e parei. Vi claramente como ainda balançava o antigo anel na chave da porta do armário, mas l não estava mais lá. Ela não poderia ter ido a lugar nenhum, existe apenas uma saída do quarto, e apesar disso ela não estava lá. Revistei tudo, inclusive abri o armário e apalpei os multicoloridos vestidos antigos: não havia ninguém...

Fico um pouco embaraçado, meus leitores planetários, em contar-lhes sobre esse incidente inverossímil. Mas o que fazer se tudo foi exatamente assim? Não foi todo o dia, desde de manhã cedo, cheio de coisas inverossímeis? Isso não se parecia com aquela antiga doença de sonhar? E se é assim, não seria indiferente um absurdo a mais ou a menos? Além disso, estou seguro de que cedo ou tarde conseguirei incluir qualquer absurdo em algum silogismo. Isso me acalma e espero que acalme vocês também.

... Como estou completo! Se vocês soubessem como estou completo!

14ª ANOTAÇÃO

Resumo:

"Meu". Não se pode. Chão frio.

Um pouco mais sobre os acontecimentos da véspera. Eu estava ocupado durante a Hora Pessoal antes de dormir e não pude escrever ontem. Mas tudo isso está gravado em mim – talvez para sempre –, especialmente aquele chão insuportavelmente frio...

À noite O deveria me ver, era o seu dia. Desci até a plantonista para pegar a autorização para as cortinas.

– Você está bem? – perguntou a plantonista. – Hoje você está um pouco...

– Eu... eu estou doente...

De fato, era verdade, sem dúvida eu estava doente. Tudo isso era uma doença. E imediatamente recordei: sim, o atestado... Apalpei o bolso: ele farfalhou. Significa que tudo aconteceu, tudo realmente aconteceu...

Estendi para ela o pedaço de papel. Senti minhas bochechas arderem; sem olhar, senti que ela me observava com assombro.

Eram 21h30. As cortinas do quarto à esquerda estavam fechadas. No quarto à direita, vi o vizinho debruçado sobre um livro, a careca nodosa e cheia de montículos, a testa parecia uma enorme parábola amarela. Eu andava de um lado para o outro dolorosamente: como, depois de tudo o que aconteceu, eu poderia ficar com ela, com O? E da direita, senti claramente olhos em minha direção, vi perfeitamente uma testa enrugada, uma série de linhas amarelas indefinidas, e, por alguma razão, me pareceu que essas linhas falavam sobre mim.

Às 21h45, entrou em meu quarto um alegre e rosa turbilhão, um anel de braços rosados em volta do meu pescoço.

Senti que o anel ficava mais fraco, mais fraco até que se abriu, baixou os braços...

– Você não é o mesmo, não é como antes, você não é meu!

– Que terminologia selvagem: "meu". Eu nunca fui... – hesitei: passou-me pela cabeça que antes realmente não era, mas agora... De fato, agora não vivo no nosso mundo racional, mas no antigo e delirante mundo da $\sqrt{-1}$.

As cortinas se fechavam. Lá, atrás da parede à direita, o vizinho deixou cair o livro de cima da mesa, e, no último instante, por uma fresta estreita entre a cortina e o chão, vi a mão amarelada pegar o livro, e dentro de mim, com todas as forças, quis me agarrar àquela mão...

– Pensei: queria tê-lo encontrado no passeio hoje. Tenho muito sobre o que falar, preciso lhe contar muitas...

Querida e pobre O! A boca rosada, a meia-lua rosada apontando para baixo. Mas não posso de forma alguma contar-lhe tudo o que aconteceu, porque isso faria dela cúmplice de meus crimes, e eu sei que ela não teria forças para ir ao Departamento dos Guardiões, portanto...

O estava deitada. Beijei-a lentamente. Beijei aquela dobra inocente e doce do seu pulso, seus olhos azuis estavam fechados, sua meia-lua rosada florescia lentamente, desabrochou, beijei-a toda.

De repente, percebi com clareza como tudo estava desolado e à mercê. Não posso, não se pode. Devia, mas não se pode. Meus lábios ficaram frios imediatamente...

A meia-lua rosada começara a tremer, extinguira-se, contraíra-se. O se cobriu com a colcha, embrulhou-se e enfiou a cara no travesseiro...

Sentei-me no chão ao lado da cama, que estava extremamente frio. Fiquei sentado em silêncio. O frio torturante vindo de baixo subia cada vez mais. É possível que esse frio tão torturante reine lá, no azul, no mudo espaço interplanetário.

– Entenda-me bem, eu não queria... – murmurei. – Com todas as forças...

Era verdade: eu, o eu verdadeiro não queria. Mesmo assim, com que palavras dizer a ela? Como explicar-lhe que o ferro não queria, mas as leis eram precisas e imutáveis.

O levantou o rosto do travesseiro e, sem abrir os olhos, disse:

– Vá embora – mas devido às lágrimas saiu um "vábora" e, por alguma razão, esse detalhe ridículo trespassou-me.

Completamente varado de frio, entorpecido, saí para o corredor. Lá, atrás do vidro havia uma baforada suave de névoa, que mal se distinguia. Mas à noite, provavelmente, ela descerá de novo e envolverá tudo. O que acontecerá durante a noite?

Sem uma palavra, O deslizou por mim em direção ao elevador, a porta bateu.

– Um minuto – gritei. Fiquei assustado.

Mas o elevador já zumbia para baixo, mais baixo...

Ela havia me tirado R.

Ela havia me tirado O.

E ainda assim, ainda assim...

15ª ANOTAÇÃO

Resumo:

A Campânula. O mar espelhado. Queimarei eternamente.

Eu acabara de entrar no hangar onde a "Integral" era construída, quando o Segundo Construtor veio ao meu encontro. Seu rosto era o de sempre: redondo, branco como um prato de louça, e, como se nesse prato levasse algo insuportavelmente delicioso, ele disse:

– Já que você fez o favor de ficar doente, ontem, sem você, sem a sua autoridade, pode-se dizer que ocorreu um incidente.

– Um incidente?

– Pois sim! A campainha soou, terminamos o trabalho e começávamos a sair do hangar e imagine: o encarregado prendeu uma pessoa sem número. Não consigo entender como ele se infiltrou aqui. Levaram-no para a Sala de Operações. Lá, meu caro, arrancarão dele a causa e o motivo... (Deu um sorriso delicioso...)

Na Sala de Operações trabalham os nossos melhores e mais experientes médicos sob a orientação direta do próprio Benfeitor. Nela existem diferentes instrumentos, e o mais importante é a famosa Campânula. Na realidade, ela funciona como o antigo experimento escolar no qual um rato era colocado sob uma redoma de vidro; o ar dentro dela é bombeado para fora, diminuindo cada vez mais... e assim por diante. Mas, é claro, a Campânula é um aparato consideravelmente mais completo, com o emprego de diferentes gases, e, por isso mesmo, naturalmente, não é mais o caso de escarnecer animais pequenos e indefesos, mas tem um propósito elevado: a preocupação com a segurança do Estado Único; em outras palavras, a felicidade de milhões. Por volta de cinco séculos atrás, quando o trabalho na Sala de Operações apenas se iniciava, apareceram alguns tolos que a compararam com a antiga Inquisição, mas na verdade isso é tão absurdo como colocar no mesmo patamar um cirurgião que realiza uma traqueostomia e um salteador: talvez ambos tenham a mesma faca nas mãos e façam a mesma coisa, cortar a garganta de uma pessoa viva. Entretanto, um é benfeitor, o outro, um criminoso; um é o sinal de +, o outro, o de –...

Tudo isso é muito claro, tudo isso num segundo, numa volta da máquina da lógica. Mas depois, no instante em que os dentes se engancharam no sinal de menos, outra coisa me veio à mente: o chaveiro ainda balançando no armário. Evidentemente, a porta havia acabado de bater, mas ela, I, não estava lá: havia desaparecido. A máquina não pôde resolver isso de maneira nenhuma. Um sonho? Mas ainda sinto uma doce e incompreensível dor no ombro direito – I se apertara contra ele ao meu lado, em meio à névoa. "Tu gostas da névoa?" Sim, a névoa... gosto de tudo, tudo era suave, novo, surpreendente, tudo estava bem...

– Tudo está bem – eu disse em voz alta.

– Bem? – arregalou os olhos arredondados como louça. – Ou melhor, o que há de bom nisso tudo? Se esse sem número foi capaz de... quer dizer que eles estão por toda parte, ao nosso redor, o tempo todo, eles estão aqui, perto da "Integral", eles...

– Mas quem são eles?

– Eu sei lá quem são eles! Mas eu os sinto, entende? O tempo todo.

– Você ouviu falar que inventaram uma operação para extirpar a imaginação? (De fato, há alguns dias ouvi algo parecido.)

– Sim, eu sei. Mas o que tem isso agora?

– Ora, se eu estivesse no seu lugar, pediria que fizessem essa operação em mim.

No prato, claramente se desenhou algo ácido-cítrico. Meu caro, ele se ofendeu com a menor insinuação de que poderia ter imaginação... Pensando bem, na semana passada, provavelmente eu também teria ficado ofendido. Mas agora, agora não: porque sei que tenho uma, que estou doente. E também sei que não quero me recuperar. Não quero me recuperar e ponto-final. Subimos os degraus de vidro. Tudo sob nossos pés era claro como o dia...

Vocês, leitores destas notas, quem quer que sejam, o sol está sobre vocês. E se algum dia também estiveram tão doentes como estou agora, sabem como é e como pode ser o sol pela manhã. Sabem que é rosado, transparente, morno e dourado. O próprio ar é um pouco rosado, tudo está impregnado do delicado sangue solar. Tudo está vivo: as pedras estão vivas e macias; o ferro está vivo e quente; as pessoas estão vivas e cada uma delas sorri. Pode acontecer de em uma hora tudo isso desaparecer, em uma hora o sangue rosado se esvair, mas por enquanto estamos vivos. E vejo que algo pulsa e transborda nos fluidos vítreos da "Integral"; vejo a "Integral" pensando no seu grandioso e terrível futuro, no fardo pesado da felicidade inevitável que ela levará para cima, a vocês desconhecidos, a vocês que a buscam eternamente e nunca a encontram. Vocês a encontrarão e serão felizes, vocês são obrigados a ser felizes e já não precisam esperar muito tempo.

A fuselagem da "Integral" está quase pronta: uma elegante e alongada elipsoide feita com o nosso vidro, eterno como o ouro e flexível como o aço. Por dentro, vi que fixavam ao corpo de vidro as costelas transversais – as cavernas – e as longitudinais – as longarinas; na popa colocaram o alicerce para o gigantesco motor do foguete. A cada três segundos, a cauda potente da "Integral" lançará chamas e gases no espaço – e voará, voará como um ígneo Tamerlão da felicidade...

Vi as pessoas lá embaixo, em movimentos cadenciados e rápidos, no ritmo Taylor, curvando-se e desencurvando--se, girando como alavancas de uma máquina enorme. Em suas mãos brilhavam canos: cortavam com fogo, soldavam as paredes de vidro, as esquadrias, as bordas e os suportes. Vi deslizar devagar pelos trilhos de vidro guindastes monstruosos de vidro transparente, e, como se fossem pessoas, viravam-se obedientes, inclinavam-se e introduziam a carga nas entranhas da "Integral". Formavam uma unidade: humanizadas, pessoas perfeitas. Era a música mais elevada, de beleza formidável, harmonia... Apressei-me para baixo, para eles, para estar com eles!

E lá estava eu, ombro a ombro, fundido neles, tomado pela cadência do aço... Movimentos ritmados: bochechas coradas, arredondadas e firmes; frontes espelhadas, não obscurecidas pela loucura do pensamento. Eu nadava por esse mar espelhado. Relaxei.

De repente, alguém se virou e disse com tranquilidade para mim:

– E então, você está melhor hoje?

– Como assim, melhor?

– Bem, você não esteve aqui ontem. Pensamos que alguma coisa perigosa havia... – sua testa resplandecia, seu sorriso era infantil e inocente.

O sangue invadiu meu rosto. Eu não podia, não podia mentir para aqueles olhos. Fiquei em silêncio, afundei...

Acima, o rosto que irradiava a brancura redonda de um prato de louça meteu-se na escotilha.

– Ei, D-503! Venha até aqui! Neste ponto, veja, a estrutura ficou rígida com os suportes, e as junções criaram uma tensão no quadro.

Sem ouvir até o fim, subi correndo ao encontro dele. Escapei vergonhosamente. Não tinha forças para levantar o olhar, os olhos se turvaram por causa dos degraus brilhantes de vidro sob meus pés, e a cada degrau tudo parecia mais desesperador: não havia lugar para um criminoso envenenado como eu. Nunca mais farei parte do preciso ritmo mecânico, nem nadarei no mar espelhado e tranquilo. Queimarei eternamente, revolvendo-me e procurando um canto onde possa esconder meus olhos eternamente, até que por fim encontre forças para atravessar...

E uma faísca de gelo me atravessou: não me importo comigo, tanto faz, mas acontecerá o mesmo com ela também, e...

Passei com dificuldade pela escotilha, cheguei à plataforma e parei: não sabia para onde ir naquele momento, não sabia por que viera até ali. Olhei para cima. Lá se erguia um sol exaurido e opaco de meio-dia. Embaixo estava a "Integral", cinza-vítrea, sem vida. O sangue rosado se esvaíra, estava claro que tudo isso havia sido apenas minha imaginação, que tudo permanecia como antes e, ao mesmo tempo, era evidente...

– O que há com você, 503, está surdo? Estou chamando, chamando... O que há com você? – Era o Segundo Construtor, que gritava diretamente no meu ouvido: devia estar gritando comigo há um bom tempo.

O que há comigo? Perdi o leme. O motor ronca ao máximo, o aero treme e se move rapidamente, mas sem direção, e não sei para onde estou indo: para baixo, para estatelar-me no chão, ou para cima, em direção ao sol, ao fogo...

114

16ª ANOTAÇÃO

Resumo:

Amarelo. Uma sombra bidimensional. Uma alma incurável.

Faz alguns dias que não escrevo minhas anotações. Não sei quantos: todos os dias são iguais. Todos os dias têm a mesma cor amarela, como areia seca e incandescente, nem uma nesga de sombra, nem uma gota de água – apenas essa areia amarela e sem fim. Não posso ficar sem ela, mas desde aquele dia em que ela desapareceu inexplicavelmente na Casa Antiga...

Desde então, eu a vi uma única vez durante o passeio. Dois, três, quatro dias atrás, não sei: todos os dias são iguais. Ela passou por mim como um relâmpago e por um segundo preencheu este meu mundo amarelo e vazio. O duplamente encurvado S estava de mãos dadas com ela, ombro a ombro. Também estavam ali o doutor fino como uma folha de papel e uma quarta pessoa – só me lembro de seus dedos: eles saíam das mangas do unif como feixes de luz, eram excepcionalmente finos, brancos e longos. I levantou a mão e acenou para mim; vi, por cima de uma cabeça, ela se inclinar para aquele com dedos de luz. Pareceu-me ter ouvido a palavra "Integral": todos os quatro se voltaram para mim e então se perderam no céu azul cinzento. De novo o caminho amarelo e incandescente.

Naquela noite ela tinha um talão cor-de-rosa para mim. Fiquei em pé diante do numerador, com delicadeza e ódio implorei-lhe para que estalasse, para que rapidamente surgisse no painel branco: I-330. Uma porta bateu, saíram do elevador números pálidos, altos, rosados, morenos; cortinas ao redor se fecharam. Ela não estava ali. Não viera.

Pode ser que neste exato momento, precisamente às 22h, enquanto escrevo isto, ela esteja de olhos fechados, apoiada nos ombros de alguém e também lhe dizendo "Você gosta...?". Para quem? Quem é ele? Aquele de dedos luminosos, ou R, de lábios grossos e esguichadores? Ou S?

S... Por que todos os dias escuto atrás de mim seus passos chapinhantes, como se andasse sobre uma poça de água? Por que todos os dias ele está atrás de mim como uma sombra? À frente, ao lado e atrás, uma sombra bidimensional cinza-azulada: as pessoas passam através dela, pisam-na, mas, ainda assim, ela está aqui, inabalável, ao meu lado, presa a mim com um cordão umbilical invisível. É possível que esse cordão umbilical seja ela, I? Não sei. Ou talvez eles, os Guardiões, já saibam que eu...

E se lhes dissessem: a sua sombra observa você, observa o tempo todo. Compreende? E, de repente, você tem uma sensação estranha: seus braços lhe são estranhos, incomodam, e você se surpreende com o ridículo que é balançá-los fora do compasso com os seus próprios passos. Ou, de repente, você sente que precisa olhar para trás, mas não consegue olhar de jeito nenhum; o pescoço está imobilizado. E eu corro, corro a toda velocidade e nas costas sinto minha sombra ir também, mais rápido, e dela não há como fugir, não há...

Estou em meu quarto, finalmente sozinho. Mas há outra coisa: o telefone. Novamente pego o fone: "Sim, I-330, por favor". E, de novo pelo fone, ouço um ruído leve, alguns passos no corredor, passaram pela porta do quarto dela, e silêncio... Largo o telefone – não aguento, não aguento mais! Vou até ela.

Isso aconteceu ontem. Corri até lá e durante uma hora inteira, das 16 às 17h, vaguei ao redor do prédio em que ela mora. Números passavam por mim em filas. Milhares de pés choviam no mesmo compasso, um Leviatã com milhões de pés balançando-se, flutuando ao meu redor. E eu estava só, açoitado por uma tempestade numa ilha deserta, e procurava, procurava com meus olhos por entre as ondas cinza-azuladas.

Agora, vindo de algum lugar: sobrancelhas em ângulo agudo e zombeteiras, com os cantos levantados até as têmporas, os olhos escuros – ali dentro ardia uma lareira, sombras se moviam. Vou diretamente para lá, para dentro, e digo a ela "tu" (certamente "tu"): "Você já sabe que eu não posso viver sem você. Por que tudo isso?".

Mas ela ficou calada. De repente, ouvi o silêncio, de repente ouvi a Fábrica Musical e compreendi que já passava das 17h, e todos se foram há muito tempo, eu estava só, estava atrasado. Ao redor havia um deserto de vidro inundado pela luz amarela do sol. Vi como se fosse na água, na superfície lisa do vidro, paredes brilhantes suspensas de cabeça para baixo, assim como eu também estava de cabeça para baixo, com um ar zombeteiro, pendurado pelos pés.

Precisava me apressar, ir imediatamente para o Departamento de Medicina conseguir um atestado por doença, caso contrário eles me pegariam... Talvez seja melhor. Ficar parado aqui e esperar tranquilamente até que eles me vejam e me levem para a Sala de Operações – e tudo terminará imediatamente, tudo será redimido imediatamente.

Um sussurro suave, e diante de mim uma sombra duplamente encurvada. Sem olhar, senti duas brocas de aço cinza rapidamente se atarraxarem em mim. Sorri com todas as forças e disse algo que precisava dizer:

– Eu... Eu preciso ir ao Departamento de Medicina.

– Qual é o problema? Por que você está aí parado?

De maneira absurda, de cabeça para baixo, pendurado pelos pés, fiquei em silêncio, queimando de vergonha.

– Venha comigo – S disse asperamente.

Segui-o obediente, agitando os braços que me eram estranhos e inúteis. Não consegui levantar os olhos, caminhava o tempo todo num mundo selvagem, virado de cabeça para baixo: havia máquinas de algum tipo, as bases por cima, pessoas com os pés grudados no teto como antípodas, e, mais abaixo, o céu aprisionado no vidro grosso do pavimento. Lembro-me de que o que mais me ofendeu foi ver pela última vez na vida tudo dessa maneira: irreal, de cabeça para baixo. Mas não consegui levantar os olhos.

Paramos. Havia degraus diante de mim. Mais um passo e eu veria: figuras em brancos aventais médicos, uma enorme Campânula muda...

Com esforço, num movimento espiralado, finalmente despreguei os olhos do vidro sob meus pés e, de repente, na minha frente brotaram as letras douradas "Médico"...

Por que ele me trouxe até aqui e não me levou à "Sala de Operações"? Por que ele se compadeceu de mim? Mas naquele momento eu nem pensava nisso: subi os degraus num salto, bati a porta com força atrás de mim e suspirei. Era como se eu não respirasse desde a manhã, como se meu coração não batesse, e só agora suspirasse pela primeira vez, só agora se abrisse uma eclusa no meu peito...

Havia dois deles: um era baixinho, com as pernas atarracadas, os olhos pareciam erguer os pacientes, como chifres; o outro era muito magro, tinha lábios brilhantes de tesoura, nariz de lâmina... Era aquele mesmo.

Corri em sua direção, direto na lâmina, como se fosse conhecido. Falei sobre a insônia, os sonhos, as sombras, o mundo amarelo. Os lábios de tesoura brilharam e sorriram.

– É muito ruim esse seu problema! Pelo visto você desenvolveu uma alma.

Uma alma? Essa é uma palavra estranha, muito antiga, há muito tempo esquecida. Às vezes, falávamos "alma gêmea", "alma fria", "desalmado", mas "alma"...

– Isso... é muito perigoso – balbuciei.

– É incurável – as tesouras cortaram.

– Mas... qual é exatamente a essência disso? Eu nem... nem posso imaginar.

– Veja... como explicar-lhe... Você é matemático?

– Sim.

– Então, por exemplo: temos um plano, uma superfície como este espelho. E nessa superfície estamos você e eu –

veja – e estamos apertando os olhos por causa do sol; temos também uma faísca elétrica azul dentro daquele tubo, e ali a sombra rápida do aero. Apenas nessa superfície e só por um segundo. Mas imagine que alguma fonte de calor fez com que, de repente, essa superfície impermeável amolecesse, e nada mais pudesse deslizar sobre ela. Tudo penetra seu interior, para lá, para esse mundo refletido que olhamos com a curiosidade de crianças – e lhe asseguro que elas não são nem um pouco tolas. O plano adquire volume, um corpo, um mundo, e tudo isso está dentro do espelho, está dentro de você: o sol, o turbilhão da hélice do aero, seus lábios trêmulos e os de mais alguém. Entenda: o espelho frio reflete, repele, mas este absorve e deixa vestígios para sempre. Certa vez, você viu uma ruga quase imperceptível no rosto de alguém, e ela sempre estará com você; certa vez, você ouviu uma gota cair no silêncio, e você a ouve agora...

– Sim, sim, exatamente... – agarrei sua mão. Ouvi gotas pingando vagarosamente da torneira do lavatório para o silêncio. E eu soube que lembraria para sempre. Mas ainda assim, por que de repente uma alma? Eu nunca tive, nunca tive e de repente... Por que ninguém mais tem, exceto eu...?

Agarrei sua mão fina com mais força ainda: eu tinha medo de perder aquela boia salva-vidas.

– Por quê? Por que nós não temos penas ou asas, mas apenas ossos escapulares, a base das asas? É porque já não necessitamos de asas, temos o aero, as asas apenas atrapalhariam. Asas são para voar, mas não temos mais para onde: aterrissamos e encontramos o que buscávamos. Não é verdade?

Assenti com a cabeça, confuso. Ele olhou para mim, riu com sarcasmo de modo lancinante. Ao ouvir isso, o outro, pisando forte com as pernas atarracadas, saiu de seu escritório, ergueu com seus olhos de chifre o meu delgado doutor, e depois a mim.

– O que é isso? Como assim, alma? Uma alma, você disse? Mas que diabo é isso? Desse jeito chegaremos logo à cólera. Eu disse a você (com o muito delgado doutor nos chifres) – eu disse: a imaginação de todos... é preciso... É preciso extirpar a imaginação! Aqui cabe apenas a cirurgia, apenas a cirurgia...

Ele enfiou a custo os enormes óculos de raios x, andou demoradamente ao meu redor examinando os ossos do meu crânio, o meu cérebro, e anotou alguma coisa no caderninho.

– Extraordinário, curiosamente extraordinário! Escute: você não concordaria em... conservá-lo em álcool? Seria extraordinário para o Estado Único... Isso nos permitiria prevenir uma epidemia... Se você, naturalmente, não tiver uma razão em particular...

– Veja – disse o outro – o número D-503 é o construtor da "Integral", e estou certo de que isso perturbaria...

– Ah – resmungou ele e retornou para o seu escritório, com suas pernas atarracadas.

Ficamos apenas nós dois. A mão suave como papel afavelmente deitou-se sobre a minha, o rosto de perfil inclinou-

-se na minha direção. Ele sussurrou:

– Digo-lhe em segredo: não é só você. Não é sem razão que meu colega fala em epidemia. Pense um pouco, talvez você mesmo tenha percebido algo parecido em outra pessoa, muito parecido, muito próximo... – ele olhou fixamente para mim. Ao que ele se referia? A quem? Será que...

– Escute... – saltei da cadeira. Mas ele começara a falar alto sobre outra coisa:

– ... E sobre a insônia e esses seus sonhos, posso lhe dar um conselho: caminhe mais. Por exemplo, amanhã mesmo, de manhã, dê uma volta... nem que seja até a Casa Antiga.

Ele me perfurou novamente com os olhos, deu um sorriso fino. E me pareceu que pude ver claramente, envolta no fino tecido desse sorriso, uma palavra, uma letra, um nome, um nome em particular... Ou seria de novo apenas minha imaginação?

Mal consegui esperar até que ele escrevesse meu atestado de doença para hoje e amanhã. Uma vez mais apertei sua mão com força, em silêncio, e corri para fora dali.

Meu coração estava leve e veloz como um aero, levando-me cada vez mais alto. Eu sabia que amanhã teria uma alegria. Mas qual?

17ª ANOTAÇÃO

Resumo:

Através do vidro. Morri. Corredores.

Estou completamente desconcertado. Ontem, no mesmo momento em que eu pensava que tudo já havia se esclarecido, todos os X encontrados, apareceram novas incógnitas na minha equação.

A origem das coordenadas de toda essa história, é claro, está na Casa Antiga. Desse ponto saem os eixos X, Y e Z, que recentemente têm edificado todo o meu mundo. Pelo eixo X (Avenida 59) caminhei até a origem das coordenadas. Os acontecimentos multicoloridos de ontem formavam um turbilhão dentro de mim: as pessoas e os prédios de cabeça para baixo, as mãos dolorosamente alheias, as tesouras brilhantes, o gotejar sonoro do lavatório, tal como havia ocorrido uma vez. Tudo isso rasgava minha carne, girando impetuosamente por trás da superfície derretida pelo calor, onde se encontra a "alma".

Para cumprir a recomendação do doutor, propositalmente não escolhi o caminho da hipotenusa, mas sim o de dois catetos. E eis aqui já o segundo cateto: um caminho circular ao pé do Muro Verde. Além do Muro, do vasto oceano verde, avançava sobre mim uma onda selvagem de veios de raízes, flores, galhos e folhas – em pé; ela iria me engolir, e, de um homem, o mais fino dos mecanismos, eu me transformaria em...

Mas, felizmente, entre mim e esse oceano verde e selvagem havia o vidro do Muro. Oh, grandiosa e divina sabedoria limitadora das paredes e barreiras! Essa talvez seja a mais grandiosa de todas as invenções. O homem só deixou de ser uma besta selvagem quando construiu a primeira parede. O homem só deixou de ser um selvagem quando construímos o Muro Verde, quando com esse Muro isolamos nossas máquinas, nosso mundo perfeito, do insensato e repugnante mundo das árvores, pássaros, animais...

Através do vidro, enevoado e mal iluminado, vi o focinho tolo de uma besta de olhos amarelos, obstinadamente repetindo o mesmo pensamento incompreensível para mim. Por um longo tempo, olhamos um para o outro bem nos olhos, esses poços que ligam um mundo superficial a outro suprassuperficial. E algo fervilhou dentro de mim: "Mas se de repente ele, de olhos amarelos, no seu ridículo monte de folhas imundas, na sua vida incalculada, fosse mais feliz do que nós?".

Acenei, os olhos amarelos piscaram, retrocederam e desapareceram no meio das folhas. Pobre criatura! Que absurdo: ele ser mais feliz do que nós! Talvez seja mais feliz do que eu, sim, mas é porque sou apenas uma exceção, estou doente.

E eu... Eu já podia ver as paredes vermelho-escuras da Casa Antiga, a boca amável e contraída da velha. Corri até ela a toda velocidade:

– Ela está aqui?

A boca enrugada abriu-se devagar:

– Quem é ela mesmo?

– Ah, como quem? Bem, I, é claro... Estivemos aqui, viemos de aero...

– Ah, sim, sim... Pois é, pois é...

Rugas em forma de raio ao redor da sua boca, raios maliciosos dos seus olhos amarelos penetravam-me mais e mais fundo... E finalmente:

– Muito bem... ela está aqui, chegou faz pouco tempo.

Está aqui. Vi junto aos pés da velha um arbusto prateado de absinto (o quintal da Casa Antiga também era um museu, ele fora cuidadosamente preservado no seu aspecto pré-histórico). Um ramo do absinto se estendia até a mão da velha, ela o acariciou, um raio de sol amarelo iluminou seus joelhos. Num piscar de olhos, eu, o sol, a velha, o absinto, os olhos amarelos – éramos apenas um, solidamente conectados por algo como veias, e por essas veias corria o mesmo sangue, impetuoso e magnífico...

Agora tenho vergonha de escrever sobre isso, mas prometi que estas notas seriam sinceras até o fim. Assim: inclinei-me e beijei sua boca enrugada, suave e musgosa. A velha enxugou a boca e pôs-se a rir...

Atravessei correndo os aposentos familiares, meio escuros e ecoantes, e, por alguma razão, fui diretamente para o dormitório. Assim que cheguei à porta, agarrei a maçaneta e, de repente: "E se ela não estiver aqui sozinha?". Parei e pus-me a escutar. Mas apenas ouvi uma batida próxima – não em mim, mas em algum lugar perto de mim. Era o meu coração.

Entrei. A cama larga estava feita. Um espelho. Outro espelho na porta do armário, e no buraco da fechadura, a chave com o antigo chaveiro. Não havia ninguém.

Chamei baixinho:

– I! Você está aqui? – E mais baixo, com os olhos fechados e sem respirar, como se eu estivesse de joelhos diante dela: – I! Querida!

Silêncio. Apenas a água da torneira gotejava rapidamente dentro de uma xícara branca na pia. Não posso explicar por quê, mas isso foi desagradável; fechei a torneira com força e saí. Ela não estava ali: isso estava claro. Significa que estava em algum outro "apartamento".

Desci correndo por uma escada larga e obscura, puxei uma porta, outra, uma terceira: trancada. Todas estavam trancadas, exceto aquela do "nosso" apartamento, e lá não havia ninguém.

Apesar disso, voltei para lá, eu mesmo não sei por quê. Andei devagar, com dificuldade, e, de repente, as solas dos meus pés transformaram-se em ferro. Lembro-me claramente do pensamento: "É um erro que a força da gravidade seja uma constante. Em consequência, todas as minhas fórmulas...".

Então, um estouro; uma porta bateu embaixo, alguém pisava rapidamente na laje. Eu, sentindo-me de novo leve, mais leve do que nunca, lancei-me em direção ao corrimão, inclinei-me para, numa palavra, num grito, "Tu!", gritar tudo...

Congelei: lá embaixo, introduzido no quadrado escuro da sombra do caixilho da janela, a cabeça de S flutuava, batendo as orelhas rosadas em forma de asas.

Como um raio: apenas uma conclusão nua, sem premissa (ainda não sei a base da premissa): "De maneira nenhuma ele pode me ver aqui".

Na pontinha dos pés, colado à parede, deslizei para o andar superior, para o apartamento destrancado.

Detive-me um segundo diante da porta. O outro subia cansado para cá. Se pelo menos pudesse usar a porta! Supliquei à porta, mas ela era de madeira, começou a ranger e guinchou. Passei como uma flecha pelo verde, vermelho, pelo Buda amarelo, estava diante do espelho da porta do armário: meu rosto estava pálido, os olhos atentos, os lábios... Ouvi, através do rumor do meu sangue, a porta ranger de novo... Era ele, era ele.

Agarrei a chave na porta do armário e o chaveiro balançou. Isso me lembrou uma coisa – de novo uma instantânea conclusão nua e sem premissa – ou mais exatamente, parcial: "Naquela vez I...". Abri rapidamente a porta do armário, fiquei lá dentro, na escuridão, fechei a porta com um forte ruído. Dei um passo, o chão oscilava sob meus pés. Devagar, suavemente, flutuei para baixo, meus olhos escureceram. Morri.

Mais tarde, quando tive de escrever esses estranhos acontecimentos, esquadrinhei na memória, nos livros e agora, é claro, eu compreendo: foi um estado de morte temporária, conhecido dos antigos e, pelo que sei, completamente desconhecido entre nós.

Não tenho ideia de quanto tempo estive morto, provavelmente entre cinco e dez segundos, mas só depois de algum tempo ressuscitei e abri os olhos: estava escuro e eu sentia que descia, descia... Estendi a mão tentando me agarrar em algo e arranhei uma parede áspera, que rapidamente me escapou. Havia sangue nos meus dedos. Ficou claro que tudo isso não era um jogo da minha imaginação doente. Mas, então, o que era?

Ouvi a minha respiração entrecortada e trêmula (tenho vergonha de reconhecer, tudo foi tão inesperado e incompreensível). Um minuto, dois, três – descendo. Finalmente, um golpe suave: aquilo que caía sob meus pés agora estava imóvel. Na escuridão apalpei um tipo de maçaneta, empurrei, uma porta se abriu, uma luz pálida. Vi atrás de mim uma pequena plataforma quadrada se afastar rapidamente para cima. Pulei, mas já era tarde: fui abandonado ali... onde era esse "ali" eu não sabia.

Um corredor. Um silêncio de mil pudes*. Ao longo do teto abobadado havia lâmpadas que formavam infinitos pontos cintilantes e tremeluzentes. Parecia-se um pouco com os "tubos" dos nossos caminhos subterrâneos, mas muito mais estreito, e não era feito com o nosso vidro, mas de algum outro tipo de material antigo. Passou-me pela cabeça que aquilo seria como os subterrâneos onde se refugiavam na época da Guerra dos Duzentos Anos... Não importa: era preciso seguir.

---

* Antiga medida de peso russa, equivalente a 16,38 kg. [N. de T.]

Acredito que caminhei por uns vinte minutos. Virei à direita, um corredor mais amplo com lâmpadas mais brilhantes. Um rumor confuso. Talvez fossem máquinas, talvez fossem vozes. Não sei, só sei que eu estava perto de uma porta pesada e opaca: o rumor vinha de lá.

Bati, mais uma vez e com força. Atrás da porta ficou silencioso. Alguma coisa rangeu, devagar e pesada, a porta se abriu.

Não sei quem de nós dois ficou mais estupefato. Diante de mim estava o meu doutor delgado e de nariz afilado.

– Você? Aqui? – e suas tesouras fecharam-se sonoras. E eu, era como se eu nunca houvesse sabido uma palavra humana sequer: fiquei calado, olhando, sem entender nada do que ele me dizia. Certamente ele achava que eu devia ir embora dali, porque em seguida me afastou rapidamente com seu corpo achatado de papel até o fim do corredor, na sua parte mais iluminada, e me empurrou pelas costas.

– Permita-me... eu queria... pensei que ela, I-330... Mas atrás de mim...

– Fique aqui – cortou o doutor e desapareceu...

Finalmente! Finalmente ela está perto, está aqui – afinal, importa sim onde é "aqui". A familiar seda amarelo-açafrão, o sorriso-dentada, os olhos de cortinas fechadas... Meus lábios, mãos e joelhos tremiam, e na cabeça havia um pensamento tolo:

"As vibrações são sons. O tremor deveria ressoar. Por que, então, não era audível?".

Os olhos dela se abriram para mim, de par em par, adentrei no interior...

– Não posso mais! Onde você estava? Por que... – não tirei os olhos dela nem por um segundo. Eu falava como num delírio: rápido, incoerente – Talvez eu apenas tenha pensado tudo isso. Havia uma sombra atrás de mim... Morri dentro do armário... Porque aquele homem... falou com as tesouras que eu tenho uma alma... É incurável...

– Uma alma incurável! Meu pobrezinho! – I caiu na risada, e seu riso espirrou em mim: todo o meu delírio passou, tudo brilhava, nossas risadas ressoavam, e como... como tudo estava bem.

De um canto retornou o miraculoso, esplêndido e muito delgado doutor.

– Bem – ele parou ao lado dela.

– Nada, nada! Depois eu conto. Ele acidentalmente... Diga que eu volto em... uns 15 minutos...

O doutor desapareceu de um canto. Ela ficou esperando. A porta bateu surdamente. Então, I, muito devagar e profundamente, cravou-me uma agulha doce e pontiaguda no coração, apertou-se contra o meu ombro, seu braço, ela inteira, e caminhamos juntos, e juntos éramos dois em um...

Em meio à escuridão, não me lembro de onde nos desviamos. Mas nessa escuridão, em silêncio, subimos degraus sem fim. Eu não via, mas sabia: ela andava com os olhos fechados assim como eu – cega, atirando a cabeça para trás, mordendo os lábios e ouvindo a música: meu tremor quase inaudível.

Voltei a mim num dos infinitos recantos do quintal da Casa Antiga: ao lado de uma espécie de cerca que sai da terra, costelas nuas de pedra e dentes amarelos de uma parede em ruínas. Ela abriu os olhos e disse: "Depois de amanhã, às 16h". Foi embora.

Tudo isso havia realmente acontecido? Não sei. Saberei depois de amanhã. A única evidência real: na ponta dos dedos da minha mão direita a pele estava esfolada. Porém, hoje, na "Integral", o Segundo Construtor convenceu-me, como se ele mesmo houvesse visto, que por acidente eu tocara a roda de polir com esses dedos. E isso era tudo. Bom, é possível que seja verdade. Muito possível. Não sei. Não sei de nada.

18ª ANOTAÇÃO

Resumo:

Selvas lógicas. Feridas e emplasto. Nunca mais.

Ontem, quando me deitei, mergulhei imediatamente nas profundezas do sonho, como um barco naufragando, demasiado carregado. A água verde e densa ondulando surdamente. E, devagar, vou emergindo das profundezas para a superfície, e de algum lugar no meio das profundezas, abro os olhos: meu quarto, uma manhã ainda verde e gelada. No espelho da porta do armário, uma fenda de sol atingia meus olhos. Isso me impossibilitava de cumprir com exatidão as horas de sono estabelecidas pela Tábua das Horas. Seria melhor abrir o armário. Mas era como se eu estivesse preso numa teia de aranha, com uma teia nos olhos, sem forças para levantar...

Apesar disso, levantei-me, abri a porta e, de repente, detrás da porta espelhada, livrando-se do vestido, toda rosada, estava I. Eu já estava tão habituado às coisas mais improváveis que, do quanto me lembro, não me surpreendi em absoluto, nem perguntei nada: fui rápido para o armário, bati a porta espelhada atrás de mim e, sufocando, rapidamente e às cegas, enlacei-a com avidez. Mesmo agora consigo ver: por uma fresta da porta, penetrou na escuridão um intenso raio de sol, e, como um relâmpago, rompeu-se no chão, na parede e no alto do armário. E esse fio cruel e brilhante caiu no pescoço nu de I, jogado para trás... Aquilo foi tão terrível que não me contive e gritei – abri os olhos mais uma vez.

Meu quarto. A manhã ainda estava verde e fria. Na porta do armário, uma fenda de sol. Eu estava na cama. Foi um sonho. Mas meu coração ainda bate violentamente, estremecendo, jorrando, as pontas dos meus dedos e os joelhos doem. Sem dúvida, tudo acontecera. Mas agora não sei o que é sonho e o que é realidade; grandezas irracionais brotam por entre tudo o que é sólido, habitual e tridimensional, e, ao invés de planos polidos e firmes, alguma coisa torta, arredondada e espessa...

Ainda faltava muito para a campainha. Fiquei deitado, pensando, e desenvolvi uma cadeia lógica e excepcionalmente estranha.

Cada equação, cada fórmula na superfície da Terra tem uma curva ou um corpo correspondente. Para as fórmulas irracionais, para a minha $\sqrt{-1}$, não conhecemos seus corpos correspondentes, nunca os vimos... Mas esse é o horror, que esses corpos invisíveis existam. Necessariamente, sem dúvida, eles precisam existir: porque na matemática, como numa tela, passam por nós as sombras extravagantes e espinhosas das fórmulas irracionais. Tanto a matemática como a morte jamais cometem erros. E se não vemos esses corpos no nosso mundo, na superfície, quer dizer que para eles deve haver, inevitavelmente, um mundo inteiro e enorme sob a superfície...

Levantei num salto e, sem esperar pela campainha, pus-me a andar depressa pelo quarto. Minha matemática, até agora a única ilha sólida e imutável de toda a minha vida fora dos eixos, também se rompeu, flutuava, girava. Então, o que significa essa ridícula "alma"? Ela é tão real quanto meu unif, como minhas botas, ainda que eu não os veja agora (estão atrás da porta espelhada do armário)? E, se as botas não são uma doença, por que a "alma" é?

Procurei, mas não encontrei uma saída para essa selvagem lógica fechada. Eram as mesmas desconhecidas e sinistras selvas de fora do Muro Verde, com seres extraordinários, incompreensíveis, que falam sem palavras. Parecia-me que eu via através de algum tipo de vidro grosso algo infinitamente enorme e, ao mesmo tempo, infinitamente pequeno, com a forma de um escorpião, com o seu sinal de menos, com seu ferrão oculto e sempre perceptível: a $\sqrt{-1}$... Mas, talvez, isso não seja outra coisa senão a minha "alma", semelhante ao legendário escorpião dos antigos que voluntariamente se picava com tudo o que...

A campainha. Era dia. Tudo isso não havia morrido, não desaparecera, apenas fora coberto pela luz do dia, como objetos visíveis que não morrem, mas são encobertos pela escuridão noturna. Uma neblina suave e instável em minha cabeça. Em meio à neblina – longas mesas de vidro; cabeças esféricas mastigando devagar, em silêncio, no mesmo compasso. De longe, através da neblina, um metrônomo tiquetaqueava, e sob essa música corriqueira e doce, eu, maquinalmente, junto com todo mundo, contei até cinquenta; os cinquenta mandatórios movimentos mastigatórios em cada mordida. E, maquinalmente, marcando o ritmo, desci, assinei meu nome no livro de saída, como todo mundo. Mas sentia que vivia isolado dos outros, sozinho, cercado por um som suave que se extinguia na parede, e atrás dessa parede estava o meu mundo...

Mas aí está: se esse mundo é só meu, por que é que ele está nestas notas? Por que estão aqui esses "sonhos" absurdos, armários, corredores intermináveis? Vejo com pesar que, em vez de um lógico e rigoroso poema matemático em honra ao Estado Único, isso está me saindo um romance fantástico de aventuras. Ah, se isso fosse de fato apenas um romance e não minha vida presente, cheia de X, $\sqrt{-1}$ e de quedas.

Por outro lado, talvez tudo isso seja para melhor. O mais provável é que vocês, meus leitores desconhecidos, sejam crianças se comparados conosco (porque nós fomos criados pelo Estado Único, e, por conseguinte, alcançamos os mais altos pináculos possíveis para o homem). E como crianças, sem gritar, engolirão todo o amargor que lhes ofereço, quando isso for cuidadosamente guarnecido com a espessa calda da aventura...

AO ANOITECER:

Conhecem a sensação de quando o aero levanta voo rapidamente numa espiral azulada, a janela está aberta, um turbilhão de ar assobia no seu rosto, a Terra não existe, você se esquece da Terra, ela está tão distante de nós como Saturno, Júpiter ou Vênus? Assim vivo agora: o torvelinho no rosto, e esqueci-me da Terra, esqueci-me da querida e rosada O. Mas a Terra ainda existe e cedo ou tarde precisarei aterrissar. Só fecho os olhos perante o dia em que o nome dela está marcado na minha Tabela Sexual – o nome O-90...

Hoje à noite a longínqua Terra me recordou da sua própria existência.

Para seguir as recomendações do doutor (com toda sinceridade quero restabelecer a saúde), por duas horas perambulei pelas retilíneas e desertas avenidas de vidro. De acordo com a Tábua das Horas, todos estavam no auditório, exceto eu... Isso era, essencialmente, um espetáculo antinatural: imagine um dedo humano cortado por inteiro da mão, um dedo humano separado que, curvado, corre saltitando pela calçada de vidro. Esse dedo sou eu. E o mais estranho e antinatural de tudo é que o dedo não quer em absoluto ficar na mão junto com os outros: prefere ficar sozinho, ou... Bem, já não tenho mais nada para esconder: ou estar com ela, e de novo fundir-me com ela através dos ombros, através dos dedos entrelaçados de nossas mãos...

Voltei para casa ao pôr do sol. Havia cinzas crepusculares e rosadas nas paredes de vidro, no pináculo dourado da Torre Acumuladora, nas vozes e sorrisos dos números que passavam por mim. Como é estranho: os raios solares se extinguem e caem exatamente no mesmo ângulo em que surgem pela manhã, entretanto tudo é completamente diferente, esse rosado é diferente, é muito silencioso e um pouco amargo, mas pela manhã será sonoro e espumante de novo.

E embaixo, no vestíbulo, Iu, a supervisora, tirou de uma pilha de envelopes cobertos de cinzas rosadas uma carta,

e me entregou. Repito: essa é uma mulher muito respeitável, e estou certo de que tem os melhores sentimentos
para comigo.

Apesar disso, todas as vezes que vejo essas bochechas,
caídas como as guelras de um peixe, por alguma razão acho
desagradável.

Iu suspirou ao estender-me a carta com sua mão nodosa. Mas aquele suspiro apenas fez trepidar de leve as cortinas que me separavam do mundo: eu estava completamente projetado no envelope que tremia em minhas mãos. Eu
não tinha dúvidas: era uma carta de I.

Então, um segundo suspiro, tão claro, duas vezes sublinhado, que me apartei do envelope e vi: entre as guelras,
através das modestas persianas fechadas dos olhos, havia
um sorriso terno, envolvente e ofuscante. Em seguida:

– Coitado, coitado de você – um suspiro triplamente
sublinhado e indicou a carta de maneira quase imperceptível (naturalmente, por obrigação ela sabia o conteúdo
da carta).

– Não, na verdade, eu... Mas por quê?

– Não, não, meu querido: eu te conheço melhor do que
você mesmo. Tenho o observado há algum tempo e vejo
que você precisa de alguém que o pegue pela mão e o con-
duza pela vida, alguém que tenha estudado a vida por muitos anos...

Senti que seu sorriso me cobrira por inteiro, um em-
plasto em todas as feridas que se alastrariam por causa da

carta que tremia em minhas mãos. E, finalmente, através das pudicas persianas, ela disse bem baixinho:

– Pensarei nisso, querido, pensarei. Fique tranquilo: se eu sentir força o bastante, não, não, primeiro tenho que pensar um pouco...

Grande Benfeitor! Será que estou destinado... é possível que ela queira dizer que...

Em meus olhos – ondulações, milhares de sinusoides, a carta saltitava. Aproximei-me mais da luz, da parede. Lá o sol se apagava, e lá eu, o chão, minhas mãos, a carta – tudo estava imerso naquelas cinzas, tristes e de um tom rosado e escuro.

Abri o envelope, apressei-me para ver a assinatura. Então, a ferida – não era I, mas O... E mais uma ferida: na parte inferior da folha, no canto direito, a tinta estava borrada, ali caíra uma gota de... Não suporto borrões, tanto faz se são de tinta ou de... tanto faz do quê. Sei disso: antes, uma mancha assim seria apenas muito desagradável de se olhar. Mas por que agora essa manchinha acinzentada, como uma nuvem, fez tudo se tornar plúmbeo e escuro? Ou de novo seria a "alma"?

A carta:

Você sabe... ou, talvez, você não saiba – não sei escrever muito bem –, mas não importa: saberá agora. Sem você não viverei nem um dia, nem uma manhã, nem uma primavera. Porque R para mim é apenas... bem, isso não é importante para você. De qualquer maneira, sou muito agradecida a ele: se eu estivesse sozinha, sem ele, nesses dias, não sei o que... Durante esses dias e noites vivi dez, talvez vinte anos. Era como se meu quarto não fosse quadrangular, mas circular e sem fim – circular, circular, e tudo era o mesmo, em lugar nenhum havia portas.

Não posso viver sem você porque o amo. Porque vejo e compreendo: agora você não precisa de ninguém, ninguém no mundo além daquela, da outra, e, entenda: é exatamente porque amo você que devo...

Ainda preciso de dois ou três dias para juntar meus pedaços de alguma maneira para ficar pelo menos parecida com a antiga O-90. Então farei uma solicitação para remover meu registro com você, e você ficará melhor, ficará bem. Nunca mais nos falaremos, desculpe-me.

O

Nunca mais. Será melhor assim: ela tem razão. Mas por que, por que então...

19ª ANOTAÇÃO

Resumo:

O infinitesimal de terceira ordem. Sob a fronte. Por cima do parapeito.

Lá, no estranho corredor com as lâmpadas formando pontos opacos e tremeluzentes... ou não, não – não foi lá: depois, quando eu já estava com ela em algum recanto perdido no quintal da Casa Antiga, ela disse: "Depois de amanhã". Esse "depois de amanhã" é hoje, e tudo ganhou asas, o dia voa, a nossa "Integral" já está alada: terminaram a instalação do propulsor do foguete e hoje realizaram o teste em ponto morto. Que descargas magníficas e potentes e, para mim, cada uma delas era uma saudação em honra a ela, à única, em honra ao dia de hoje.

Durante a primeira manobra (= explosão), havia uma dezena de números boquiabertos embaixo da boca do motor no nosso hangar, e deles não sobrou absolutamente nada além de algumas migalhas e fuligem. É com orgulho que escrevo que o ritmo do nosso trabalho não perdeu nem um segundo por causa disso. Ninguém se abalou: nós e nossas máquinas continuamos os movimentos, em linha reta e circulares, tudo com a mesma precisão, como se nada houvesse acontecido. Dez números mal são uma parte de 100 milhões da massa do Estado Único. De acordo com um cálculo prático, é um infinitesimal de terceira ordem. Aritmeticamente, só os antigos conheciam a compaixão iletrada: para nós ela é cômica.

É engraçado como ontem eu pude refletir e, inclusive, escrever nestas páginas sobre alguma lamentável manchinha acinzentada, sobre um borrão. Isso é o mesmo que "amolecer a superfície", que deveria ser dura como diamante, assim como as nossas paredes (há um provérbio antigo que diz: "o mesmo que falar com as paredes").

16 horas. Não fui ao passeio complementar: como eu poderia saber se ela não teria a ideia de vir exatamente agora, quando tudo brilha à luz do sol...

Estou praticamente sozinho no prédio. Por entre as paredes ensolaradas, posso ver ao longe as outras habitações, à direita, à esquerda e embaixo de mim, penduradas no ar, vazias, repetindo-se umas nas outras como num espelho. Apenas uma tênue sombra cinzenta deslizava devagar para cima, por uma escada azulada delineada pelo sol como tinta nanquim. Ouço passos e vejo-a através da porta. Sinto o sorriso-emplasto grudado em mim – passou e foi para outra escada – para baixo...

O numerador tocou. Atirei-me para o estreito painel branco e... e era algum número masculino desconhecido (se iniciava com uma consoante). O elevador zumbiu, e a porta bateu. Diante de mim, uma testa enfiada sobre os olhos de maneira torta e desleixada, e esses olhos... tinham uma expressão muito estranha: como se ele falasse de lá, sob a fronte, onde estavam os olhos.

– Ela lhe mandou uma carta... – sob a fronte, sob um toldo. – Ela pede que faça sem falta tudo o que está escrito aqui.

Sob a fronte, sob o toldo – olhou ao redor. Sim, não há ninguém, não há ninguém aqui, então me dê logo! Mais uma vez olhou para trás, entregou-me o envelope e saiu. Eu estava sozinho.

Não, não sozinho: dentro do envelope havia um talão cor-de-rosa e, quase imperceptível, o cheiro dela. Era ela, ela viria, viria me ver. Rápido, peguei a carta para, com meus próprios olhos, ler até o fim para crer...

O quê? Não pode ser! Li mais uma vez, saltando pelas linhas: "O talão... feche as cortinas sem falta, como se eu realmente estivesse com você. É imprescindível que eles pensem que eu... eu sinto muito, sinto muito...".

Fiz a carta em pedaços. Por um segundo, no espelho, vi minhas sobrancelhas deformadas e desgrenhadas. Peguei o talão para fazer com ele o mesmo que fiz com a carta...

"Ela pediu que fizesse sem falta tudo como está escrito".

Minhas mãos se enfraqueceram e se abriram. O talão caiu na mesa. Ela é mais forte do que eu, e ao que parece farei tudo como ela quer. Por outro lado... por outro lado, não sei: veremos, ainda falta muito até a noite... O talão ficou na mesa.

No espelho, minhas sobrancelhas deformadas e desgrenhadas. Por que não tenho um atestado médico para hoje? Teria ido caminhar, caminhar sem parar ao redor de todo o Muro Verde, e depois cair na cama, nas profundezas... Mas eu deveria ir ao 13º auditório, deveria atarraxar-me na cadeira para não me mover por duas horas, por duas horas... quando o que eu precisava era gritar e bater os pés.

A palestra. É muito estranho que viesse do aparato brilhante uma voz não metálica, como a de costume, mas suave, aveludada, musgosa. Era uma voz feminina. Ocorreu-

-me que, quando viva, ela devia ser pequena, uma velha em forma de anzolzinho, parecida com a da Casa Antiga.

A Casa Antiga... e tudo vem de uma vez, como uma fonte, de lá debaixo, e com todas as forças preciso atarraxar-me para não inundar todo o auditório com um grito. As palavras suaves e aveludadas me trespassavam, e de tudo ficou apenas isto: algo sobre crianças, sobre a puericultura. Eu era como uma chapa fotográfica: gravava tudo em mim com uma precisão um tanto estranha, alheia e sem sentido, um crescente dourado, o reflexo da luz do alto-falante; sob ele, havia uma criança – uma ilustração viva – tentando alcançá-lo; ela enfiava na boca a barra do seu unif microscópico; o punho apertado com força, o polegar (na verdade, muito pequeno) dobrado para dentro, a sombra leve da dobra no seu pulso roliço. Como uma chapa fotográfica, gravei: a perna nua pendia sobre a extremidade, o leque cor-de-rosa formado pelos dedos pisava no ar e estava a ponto de cair no chão...

Então, um grito de mulher subiu ao palco e, balançando as asas transparentes do unif, apanhou o bebê com os lábios, pelos punhos roliços, colocou-o no centro da mesa, depois desceu do palco. Ficou gravado em mim: a boca rosada em meia-lua, com as pontas para baixo, os olhos azuis como pires transbordando. Aquela era O. E eu, como se estivesse numa conferência sobre alguma fórmula bem-proporcionada, de repente, percebi a necessidade, a regularidade desse evento insignificante.

Ela se sentou um pouco atrás de mim, à esquerda. Dei uma olhada ao redor; de maneira obediente, ela tirou os olhos da mesa com o bebê e pousou-os sobre mim, dentro de mim, e de novo: ela, eu e a mesa no palco éramos três pontos, e através deles uma linha foi traçada – projeções de certos eventos inevitáveis e ainda imperceptíveis.

Voltei para casa por uma rua verde, crepuscular, sob luzes penetrantes. Ouvi: eu fazia tique-taque, como um relógio. E os ponteiros dentro de mim ultrapassavam algum número, eu estava prestes a fazer uma coisa da qual não poderia voltar atrás. Ela precisa que alguém pense que ela está aqui comigo. Mas eu preciso dela, e que me importam as suas "necessidades". Não quero ser as cortinas de outra pessoa. Não quero e pronto.

Atrás de mim, passos familiares, ruidosos como numa poça de água. Não olhei para trás, já sabia que era S. Ele me seguirá até a minha porta, depois, talvez, fique lá embaixo, na calçada, com suas brocas perfurando para cima, para o meu quarto até que as cortinas se fechem, escondendo o crime de alguém...

Ele, meu Anjo da Guarda, colocou um ponto final nisso. Decidi-me: não farei. Decidi-me.

Quando subi até a minha habitação e acendi o interruptor, não pude acreditar nos meus olhos: O estava de pé ao lado da minha mesa. Ou, mais exatamente, estava pendurada, como um vestido vazio após ser tirado. Sob o vestido, parecia que lhe faltava uma mola, seus braços, suas pernas estavam sem molas, sua voz estava suspensa, sem molas.

– Eu... queria falar sobre minha carta. Você a recebeu? Sim? Preciso saber a resposta, preciso hoje mesmo.

Dei de ombros. Com prazer, como se ela fosse culpada de tudo, olhei para os seus olhos azuis, cheios até a borda e protelei a resposta. E com prazer, espetando-a com cada palavra, disse:

– Resposta? Então... Você está certa. Sem dúvida. Sobre tudo.

– Isso significa... (havia um minúsculo tremor cortando seu sorriso, mas eu podia vê-lo). Então, muito bem! Agora, agora mesmo vou embora.

E ela lá, ficou pendurada sobre a mesa. Olhos, braços e pernas abatidos. Na mesa ainda estava o amarrotado talão cor-de-rosa dela. Rapidamente abri este meu manuscrito – "Nós" – e suas páginas cobriram o talão (talvez fosse mais por mim do que por O).

– Veja, estou escrevendo tudo. Já tenho 150 páginas... Está saindo algo tão inesperado...

Uma voz, uma sombra de voz:

– Mas lembre-se... quando você estava na página 20, eu... eu derramei... e você...

Lágrimas apressadas e silenciosas transbordavam pelos pires azuis, escorriam pelas bochechas, palavras apressadas, pela borda:

– Não posso, agora vou embora... eu nunca mais... e que seja assim. A única coisa que quero... Preciso de um bebê seu... Dê-me um bebê e eu vou embora, vou embora!

Vi que ela tremia inteira debaixo do unif e senti que eu também... Coloquei as mãos para trás, sorri:

– O quê? Você deseja a Máquina do Benfeitor?

E despejou em mim estas palavras, assim como uma torrente rompendo uma represa:

– Não importa! Mas de verdade eu sentirei, eu o sentirei dentro de mim. E mesmo que em alguns dias... Ver, apenas uma vez ver as suas dobrinhas nos pulsos, assim como lá, como na mesa. Apenas por um dia!

Três pontos: ela, eu e aquele com o punho roliço com dobrinhas na mesa...

Uma vez, na infância, lembro que fomos enviados à Torre Acumuladora. No terraço do último andar, inclinei-me sobre o parapeito de vidro; embaixo, pontinhos de pessoas. Meu coração batia docemente: "E se?". Naquele momento, eu apenas me agarrei com mais força ao corrimão. Agora, eu saltava no vazio.

– É isso que você quer? Sabendo absolutamente que...

Seus olhos estavam fechados, como se o sol batesse diretamente no seu rosto. Um sorriso radiante e úmido.

– Sim, sim! Eu quero!

Arranquei o talão cor-de-rosa de debaixo do manuscrito e corri para baixo, para a plantonista. O agarrou-me pelo braço, gritou algo que eu só compreendi depois, quando voltei.

Ela estava sentada na beirada da cama, as mãos apertadas com força sobre os joelhos.

– Esse... esse é o talão dela?

– Isso pouco importa. Bem, sim, é dela.

Algo estalou. O mais provável é que O se movera. Ela ficou sentada com as mãos nos joelhos, em silêncio.

– Então? Se apresse... – Peguei-a pelos braços com brutalidade, e uma mancha vermelha (amanhã seriam equimoses) apareceu em seu pulso, nas infantis dobrinhas rechonchudas.

Aquela foi a última coisa. Depois apaguei as luzes, os pensamentos se apagaram, escuridão, faíscas, pulei sobre o parapeito e fui caindo...

20ª ANOTAÇÃO

Resumo:

Descarga. O material das ideias. O penhasco zero.

Uma descarga, essa é a definição mais apropriada. Agora vejo que aquilo fora exatamente como uma descarga elétrica. Nos últimos dias meu pulso ficou mais seco, mais rápido, mais intenso; os polos, mais próximos. Havia uma crepitação seca. Um milímetro a mais: uma explosão, depois silêncio.

Dentro de mim agora está tudo quieto e vazio, como quando todos saem do prédio e você fica sozinho deitado na cama, doente, escutando claramente o distinto e metálico tamborilar dos pensamentos.

Talvez essa "descarga" finalmente tenha me curado da minha "alma" torturada, e agora volto a ser como todos nós. Ao menos, vejo mentalmente, sem toda aquela dor, O nos degraus do cubo, vejo-a na Campânula. E se na Sala de Operações ela mencionar meu nome, não importa: no último momento, com devoção e gratidão, beijarei a mão castigadora do Benfeitor. Em relação ao Estado Único, tenho direito de receber o castigo, e esse é um direito do qual não abro mão. Nenhum de nós, os números, pode ou se atreve a abdicar desse nosso único e, portanto, valioso direito.

Os pensamentos martelavam silenciosamente, metálicos e precisos; um aero desconhecido carregou-me para as alturas azuis das minhas abstrações favoritas. E aqui vejo – no ar limpo e rarefeito – como numa câmara pneumática, com um suave estalido, meu raciocínio "sobre a eficácia do direito" estourar. E vejo claramente que isso é apenas um resquício do absurdo preconceito dos antigos sobre o valor do "direito".

Existem ideias de barro, existem ideias esculpidas em ouro para sempre ou no nosso precioso vidro. E para determinar o material das ideias é preciso apenas pingar uma gota de um ácido muito forte. Os antigos também conheciam um desses ácidos: *reductio ad finem*. Aparentemente, é assim que o chamavam. Mas eles temiam esse veneno e preferiam ver qualquer coisa, ainda que fosse de barro, um céu de brinquedo, do que um nada azul. Nós, graças ao Benfeitor, somos adultos e não precisamos de brinquedos.

Bem, então, pinguemos uma gota de ácido na ideia de "direito". Até os antigos, sobretudo os mais adultos, sabiam: a fonte do direito é o poder, o direito é uma função do poder. Tomemos como exemplo dois pratos numa balança! Num, um grama, no outro, uma tonelada; no primeiro, "eu", no segundo, "nós", o Estado Único. Não está claro? Permitir que o "eu" possa ter os mesmos "direitos" em relação ao Estado é absolutamente a mesma coisa que permitir que um grama seja equivalente a uma tonelada. Esta é a distribuição: uma tonelada tem direitos, um grama tem deveres. Esse é o caminho natural que conduz do nada à grandeza: esquecer que você é um grama e sentir-se a milionésima parte de uma tonelada...

Vocês, voluptuosos e corados venusianos, e vocês, uranianos cobertos de fuligem como ferreiros, ouço seu descontentamento no meu próprio silêncio azul. Mas compreendam bem: toda grandeza é simples; compreendam bem: apenas as quatro regras da aritmética são eternas e imutáveis. E só a moral construída sob essas quatro regras continuará sendo grandiosa, imutável e eterna. Essa é a sabedoria definitiva, esse é o vértice da pirâmide que as pessoas, vermelhas de suor, debatendo-se e agonizando, escalaram por séculos. E desse vértice olhamos para o fundo, onde vermes insignificantes ainda fervilham sobre algo que sobreviveu em nós dos nossos antepassados selvagens. Desse vértice, eles parecem iguais: uma mãe ilegal, O, um assassino, aquele louco que ousou jogar seus versos no Estado Único. Também o julgamento é igual para eles: a morte prematura. Essa é a justiça mais divina, com que sonharam os homens das cavernas, iluminados pelos inocentes e rosados raios do amanhecer da história: o "Deus" deles castigava uma blasfêmia contra a Santa Igreja da mesma maneira que castigava um assassinato.

Vocês, uranianos, severos e escuros como os antigos espanhóis (que sabiamente fizeram queimar os inimigos nas fogueiras), vocês ficaram em silêncio. Acredito que concordam comigo. Mas eu ouço: os rosados venusianos falam algo sobre torturas, castigos, sobre o retorno aos tempos bárbaros. Meus caros, tenho pena de vocês, pois não são capazes de pensar filosófica e matematicamente.

A história da humanidade ascende em círculos, como um aero. Círculos diferentes: dourados, ensanguentados, mas todos igualmente divididos em 360 graus. Do zero, prossegue: 10, 20, 200, 360 graus e volta para o zero. Sim, nós retornamos para o zero, sim. Mas para a minha mente matemática está claro que esse zero é completamente diferente, é novo. Nós partimos do zero pela direita e retornamos a ele pela esquerda, e então: no lugar de um zero positivo, temos um zero negativo. Compreendem?

Vejo esse zero como algo silencioso, gigantesco, estreito e pontiagudo como uma faca, um penhasco. Na ferocidade, na escuridão hirsuta, prendendo a respiração, soltamo-nos das amarras do lado negro, noturno, do Zero Abismal. Por séculos, como Colombos, navegamos e navegamos, demos a volta ao mundo e, finalmente, hurra! Uma salva, todos para o mastro: diante de nós está um lado diferente e até então desconhecido do Penhasco Zero, iluminado pela aurora boreal do Estado Único, um bloco azul-claro, faíscas do arco-íris, o sol, centenas de sóis, bilhões de arco-íris...

Por essa razão, estamos separados do outro lado do Penhasco Zero apenas pela espessura de uma faca. A faca é a mais sólida, mais imortal e mais genial criação humana. A faca tem sido a guilhotina, um meio universal de desfazer todos os nós, e pelo fio da faca corre o caminho dos paradoxos, o único caminho digno e ousado da razão...

21ª ANOTAÇÃO

Resumo:

O dever do autor. O gelo se dilata. O amor mais difícil.

Ontem foi o dia dela, mas de novo ela não apareceu. Recebi novamente um bilhete incompreensível que não esclarecia nada. Mas estou calmo, totalmente calmo. Se eu procedo da maneira que está determinada no bilhete, se levo seu talão à plantonista e, em seguida, fecho as cortinas e fico sozinho em meu quarto, isso, sem dúvida não é porque eu não tenha forças para ir contra os seus desejos. É ridículo! Claro que não. Em primeiro lugar, é simplesmente porque as cortinas me separam daqueles sorrisos emplastos-curativos, e posso escrever estas páginas com tranquilidade. Em segundo lugar, sem ela, sem I, tenho medo de perder aquela que talvez seja a única chave para desvendar todas as incógnitas (a história do armário, minha morte temporária e assim por diante). E agora me sinto no dever de desvendá-las pelo simples fato de ser eu o autor destas notas. Sem mencionar que, em geral, o desconhecido é organicamente hostil ao homem, e o *Homo sapiens* só é um homem, no sentido amplo dessa palavra, quando sua gramática não contém absolutamente nenhum ponto de interrogação, mas apenas pontos de exclamação, vírgulas e pontos-finais.

Então, guiado, como me parece, justamente pelo meu dever de autor, hoje às 16 horas peguei o aero e dirigi-me de novo para a Casa Antiga. Havia um vento forte e contrário. O aero abriu caminho com dificuldade pelo ar denso, ramos transparentes assobiavam e açoitavam. A cidade abaixo parecia feita de blocos de gelo azul-claros. De repente – uma nuvem, uma sombra rápida e oblíqua, o gelo tornou-se cor de chumbo e se dilatou como na primavera, quando, na margem, você espera: tudo rebenta, jorra, põe-se em movimento. Porém, minuto após minuto, o gelo continua firme, e você mesmo se dilata, seu coração bate desassossegado, mais rápido (pensando bem, por que estou escrevendo sobre isso e de onde vêm essas estranhas sensações? Porque, de fato, não existe tal quebra-gelo capaz de quebrar o cristal mais transparente e resistente da nossa vida...).

Não havia ninguém na entrada da Casa Antiga. Dei a volta e vi a velha porteira junto ao Muro Verde: ela apoiava a mão na testa como uma viseira, olhava para cima. Sobre o Muro havia alguns pássaros formando um triângulo negro e pontiagudo: grasnando, lançavam-se com o peito ao ataque contra a sólida barreira de ondas elétricas. Recuavam e de novo sobrevoavam o Muro.

Vi, em seu rosto escuro, enrugado e contraído, sombras rápidas e oblíquas – uma rápida olhadela na minha direção.

– Ninguém, ninguém, não há ninguém! Sim! Não tem por que ir lá. Sim...

Como, não há por quê? E por que esse estranho modo de me considerar apenas a sombra de alguém? Talvez você e todos os demais sejam a minha sombra. Acaso eu não povoei estas páginas, que há pouco eram desertos brancos e quadrados, com vocês? Sem mim, vocês seriam vistos por todos aqueles a quem me dirijo pelas estreitas veredas destas linhas?

Naturalmente, eu não disse nada disso para ela. Por experiência própria, sei que a coisa mais dolorosa é despertar numa pessoa a dúvida de que ela é uma realidade tridimensional, e não alguma outra realidade. Apenas a adverti de que sua tarefa era abrir a porta, e ela então me deixou entrar no quintal.

Vazio. Silêncio. O vento soprava atrás das paredes, ao longe, como naquele dia, quando, ombro a ombro, dois em um, emergimos dos corredores lá debaixo, se é que isso realmente aconteceu. Caminhei sob alguns arcos de pedra, onde meus passos ecoavam pelas abóbadas úmidas e caíam atrás de mim, como se o tempo todo outra pessoa seguisse meus passos. Paredes amarelas com tijolos vermelhos e granulosos me observavam por entre as lentes das janelas escuras e quadradas. Observavam-me abrindo as portas sonoras dos barracões, olhando pelos cantos, becos sem saída, vielas. Uma portinhola na cerca conduzia a um espaço vazio, onde havia um monumento da Guerra dos Duzentos Anos: da terra saíam pedras desnudas como uma costela, paredes de dentes amarelos como uma mandíbula, um fogão antigo com tubos verticais, um navio petrificado para sempre entre as ondas de pedras amarelas e tijolos vermelhos.

Parecia-me que eu já havia visto alguma vez aqueles mesmos dentes amarelos, mas de maneira vaga, como que vindos das profundezas, entre a densidade da água. Comecei a procurar. Caí num buraco, tropecei em pedras, garras enferrujadas me seguraram pelo unif, gotas de suor muito salgadas escorriam pela minha testa, caíam nos meus olhos...

Não estava em lugar nenhum! Não pude encontrar em lugar nenhum aquela saída lá debaixo, dos corredores, ela não existia. Por outro lado, talvez fosse melhor assim: o mais provável é que tudo isso tenha sido mais um de meus "sonhos" sem sentido.

Cansado, coberto de pó e teias de aranha, já tinha aberto a portinhola para retornar ao pátio principal. De repente, um sussurro vindo detrás de mim, passos chapinhando, e diante de mim as orelhas rosadas em forma de asas, o sorriso duplamente encurvado de S.

Ele apertou os olhos, parafusando-me com suas brocas e perguntou:

– Dando um passeio?

Fiquei em silêncio. Minhas mãos me incomodavam.

– Então, pois agora já se sente melhor?

– Sim, obrigado. Acho que estou voltando ao normal.

Ele me soltou, levantou os olhos. Atirou a cabeça para trás, e eu notei pela primeira vez o seu pomo de Adão.

Acima, não muito alto, a uns 50 metros, os aeros zumbiam. Pelo voo vagaroso e baixo, pelas negras trombas dos tubos de observação voltados para o solo baixo, eu soube que eram aparatos dos Guardiões. Mas não eram nem dois, nem três, como de costume, mas de dez a doze deles (infelizmente tenho que me limitar a dar uma cifra aproximada).

– Por que tantos deles hoje? – tive a ousadia de perguntar.

– Por quê? Hum... Um médico de verdade começa a tratar uma pessoa quando ela ainda está saudável, alguém que ainda ficará doente, amanhã, depois de amanhã, em uma semana. É apenas profilaxia!

Ele acenou com a cabeça, saiu chapinhando pelas lajes de pedra do pátio. Depois se virou e, por cima do ombro:

– Tenha cuidado!

Eu estava sozinho. Silêncio. Vazio. Ao longe, sobre o Muro Verde, os pássaros e o vento se agitavam. O que ele quis dizer com isso?

O aero rapidamente deslizava pela corrente. As sombras suaves e pesadas das nuvens, abaixo as cúpulas azuis, os cubos vítreos de gelo tornavam-se cor de chumbo, dilatavam-se...

AO ANOITECER

Abri meu manuscrito para anotar nestas páginas, como me parece, algumas ideias úteis (para vocês, leitores) sobre o grande Dia da Unanimidade, que já está próximo. E percebi: não posso escrever agora. Durante todo o tempo escutei atentamente o vento açoitar com suas asas sombrias as paredes de vidro, não parei de olhar ao redor. Aguardava. O quê? Não sei. E quando surgiram na minha habitação as familiares guelras castanho-rosadas, fiquei muito contente, falo com sinceridade. Ela se sentou e de maneira casta ajustou a dobra do unif sobre os joelhos, rapidamente cobriu-me todo de sorrisos – pequenos pedaços em cada uma das minhas fissuras – e me senti bem, unido solidamente.

– Sabe, estive na classe hoje (ela trabalha na Fábrica de Educação Infantil) – e havia uma caricatura na parede. Sim, sim, eu garanto! Eles me desenharam com a aparência de um tipo de peixe. Talvez eu realmente...

– Não, não, de jeito nenhum – apressei-me em dizer (vista de perto, de fato era claro que não havia nada parecido com guelras, e foi absolutamente inapropriado tê-las mencionado antes).

– Sim, no final das contas, isso não é importante. Mas compreenda: é a ação em si. É claro que chamei os Guardiões. Amo muito as crianças e considero que o amor mais difícil e elevado é a crueldade, você me compreende?

Como não! Isso se entrecruzava tanto com os meus pensamentos. Não me contive e li para ela um fragmento da minha 20ª Anotação, iniciando por: "Os pensamentos martelavam silenciosamente, metálicos e precisos...".

Sem olhar, vi as bochechas castanho-rosadas estremecerem e se aproximarem cada vez mais de mim. Então, em minhas mãos, seus dedos secos e duros pulsaram de leve.

– Dê, dê para mim! Farei um fonograma e obrigarei as crianças a saberem de cor. Isso não é tão necessário para os seus venusianos quanto é para nós, nós de agora, de amanhã, de depois de amanhã.

Ela olhou em volta e bem baixinho:

– Você ouviu: dizem que no Dia da Unanimidade...

Sobressaltei-me:

– O quê, o que é que dizem? O que tem o Dia da Unanimidade?

As paredes acolhedoras não existiam mais. Por um momento, senti-me como se tivesse sido jogado lá fora, onde um vento colossal se agitava sobre os telhados, nuvens crepusculares e oblíquas ficavam mais baixas...

Iu me envolvera pelos ombros, decidida, com firmeza (embora tenha percebido que os ossos de seus dedos tremiam, ressoando minha agitação).

– Sente-se, meu querido, não se inquiete. Pouco importa o que dizem... Depois, se precisar, ficarei junto com você nesse dia, deixarei minhas crianças na escola com outra pessoa e ficarei com você, porque, de fato, você, meu querido, você também é uma criança e precisa...

– Não, não – agitei as mãos. – De jeito nenhum! Então você vai pensar que realmente sou algum tipo de bebê, que não posso ficar sozinho... De jeito nenhum! (Confesso que tinha outros planos no que concerne a esse dia.)

Ela sorriu – o texto não escrito desse sorriso era, evidentemente: "Ah, que menino teimoso!". Depois ela se sentou. Os olhos baixos. As mãos arrumando de novo castamente a dobra do unif, que caíra entre os joelhos. Mudou de assunto:

– Acho que precisarei resolver... Por você... Não, peço que não me apresse, ainda preciso pensar um pouco...

Eu não a apressava. Embora compreendesse que devia estar feliz e que não havia honra maior do que coroar os últimos anos de alguém.

... A noite toda – umas asas, eu andava cobrindo a cabeça com as mãos para proteger-me dessas asas. Depois, havia uma cadeira. Mas a cadeira não era nossa, contemporânea, mas um modelo antigo, de madeira. Movia as pernas como um cavalo (a pata direita dianteira, a esquerda traseira, a esquerda dianteira e a direita traseira), a cadeira corre para a minha cama, sobe nela, amo a cadeira de madeira: desconfortável, dolorida.

É assombroso: será que não é possível encontrar algum meio de curar essa doença do sonho ou fazer dela algo racional, talvez até útil?

22ª ANOTAÇÃO

Resumo:

Ondas entorpecidas. Tudo se aperfeiçoa. Eu sou um micróbio.

Imagine-se parado na praia: as ondas crescem ritmicamente, e erguidas, de repente, permanecem paradas, congeladas, entorpecidas. Pareceria tão horrível e antinatural como se nosso passeio, ordenado pela Tábua das Horas, subitamente se emaranhasse, se confundisse e parasse. A última vez que algo parecido ocorreu foi há cento e dezenove anos, de acordo com nossos anais, quando caiu do céu, bem no meio do passeio compacto, um meteorito silvando e soltando fumaça.

Caminhávamos como sempre, isto é, como monumentos de guerreiros assírios: mil cabeças unidas em pares, pernas integradas, braços integrados oscilando. No final da avenida, onde a Torre Acumuladora zumbia ameaçadoramente, fomos ao encontro do quadrilátero: nas laterais, na frente e atrás, havia guardas; no centro, três pessoas de unifs já não tinham mais seus números dourados – e tudo ficou terrivelmente claro.

O enorme mostrador no topo da torre era um rosto. Inclinado por dentro das nuvens, cuspindo os segundos para baixo, esperava indiferente. Exatamente às 13 horas e 6 minutos ocorreu uma confusão no quadrilátero. Tudo aconteceu muito próximo de onde eu estava, e pude ver até os mínimos detalhes. Lembro-me muito bem de um pescoço longo e fino, na têmpora uma trama emaranhada de veias azuis como rios num mapa geográfico de um mundo pequeno e desconhecido – e esse mundo desconhecido, pelo visto, era jovem. Provavelmente, ele havia reparado em alguém de nossas fileiras:

ergueu-se na ponta dos pés, esticou o pescoço e se deteve. Um dos guardas acertou-o com a faísca azul do chicote elétrico; ele soltou um grito agudo como o de um cachorrinho. E em seguida, um estalo distinto, aproximadamente a cada dois segundos: um ganido, um estalo – um ganido, um estalo.

Caminhávamos como sempre, num ritmo assírio, e eu, olhando para as graciosas faíscas em zigue-zague, pensei: "Tudo na sociedade humana se aperfeiçoa infinitamente, e assim deve ser. Que instrumento horrendo era o antigo chicote, e agora como é belo...".

Mas, nesse momento, como uma porca de parafuso saltando em pleno funcionamento, uma figura feminina esguia, ágil e flexível separou-se das nossas fileiras e com um grito: "Chega! Não se atreva!", se atirou diretamente no quadrilátero. Isso foi como o meteoro de cento e dezenove anos atrás: todos os que caminhavam ficaram petrificados, e nossas fileiras se converteram na crista cinza das ondas paralisadas por um frio repentino.

Durante um segundo contemplei-a como uma estranha, assim como aos outros: ela já não era mais um número, era apenas uma pessoa, existia apenas como a substância metafísica de uma ofensa dirigida ao Estado Único. Mas um movimento seu – virando-se, girou os quadris para a esquerda – e de repente tudo ficou claro: conheço, conheço esse corpo flexível como uma chibata, meus olhos, meus lábios, minhas mãos o conhecem, naquele momento eu estava absolutamente certo disso.

Dois guardas se moveram para cortar-lhe a passagem. Num instante, num ponto ainda claro e espelhado do pavimento, suas trajetórias se cruzarão, eles irão agarrá-la... Meu coração parou, e, sem raciocinar se seria possível, impossível, absurdo ou sensato, lancei-me em direção àquele ponto...

Senti milhares de olhos em mim, arregalados de horror, mas isso apenas serviu para dar ainda mais força, uma força desesperada e alegre, para aquele selvagem de mãos peludas que escapava de dentro de mim, e ele corria a toda velocidade. A dois passos, ela se virou...

Diante de mim estava um rosto trêmulo, salpicado de sardas, sobrancelhas avermelhadas... Não era ela! Não era I.

Uma alegria furiosa e fustigante. Eu queria gritar algo como: "Aqui está ela!", "Peguem-na!", mas apenas escutei meu próprio sussurro. Uma mão pesada pousou no meu ombro, prendeu-me e me levou, tentei explicar a ele que...

– Escute, mas você precisa entender que eu pensei que...

Mas como explicar tudo sobre mim, sobre a minha doença, que descrevo nestas páginas? Apaguei-me, caminhei submisso... Uma folha arrancada da árvore por um golpe inesperado do vento cai submissa, mas dá voltas pelo caminho, prende-se em cada galho conhecido, bifurcação, ramo: assim eu me agarrava em cada uma das silenciosas cabeças esféricas, no gelo transparente das paredes, no pináculo azul da Torre Acumuladora, cravado nas nuvens.

Naquele momento, quando uma cortina imperceptível estava pronta para me separar definitivamente de todo

esse mundo maravilhoso, vi ao longe, agitando os braços-
-asas rosados, deslizar uma conhecida e imensa cabeça.

Uma voz achatada e familiar:

– Considero meu dever testemunhar que o número D-503 está doente e não se encontra em condições de controlar seus sentimentos. Estou certo de que ele foi levado por uma indignação natural...

– Sim, sim – aproveitei. – Eu até gritei: peguem ela!

Atrás, sobre meus ombros:

– Você não gritou nada.

– Sim, mas eu queria, juro pelo Benfeitor, eu queria.

Por um segundo, fui atarraxado por uns olhos de broca cinzentos e frios. Não sei se ele viu dentro de mim que era (quase) verdade ou se ele tinha algum objetivo secreto para mais uma vez se compadecer de mim, mas assim que ele escreveu um bilhete e entregou-o a um dos que me seguravam, eu estava novamente livre, ou seja, mais precisamente, voltei a me integrar às assírias fileiras, harmoniosas e sem fim.

O quadrilátero, o rosto sardento e as têmporas com veias azuis como um mapa geográfico desapareceram atrás da esquina para sempre. Caminhávamos como um corpo de milhões de cabeças, e em cada um de nós havia a mesma alegria resignada que, provavelmente, experimentam as moléculas, os átomos e os fagócitos. No mundo antigo, os cristãos compreendiam isso, nossos únicos (ainda que muito imperfeitos) predecessores: a humildade é uma virtude, e o orgulho é um vício, e que "NÓS" é divino, e "EU" é diabólico.

Agora caminho nos passos dos outros e, contudo, separado deles. Ainda tremo todo por causa da agitação que passei, como uma ponte pela qual acaba de passar, retumbando, um antigo trem de ferro. Estava consciente de mim mesmo. Mas, de fato, apenas são conscientes de si e reconhecem a própria individualidade um olho com um cisco, um dedo machucado, um dente doendo: olhos, dedos e dentes saudáveis – eles parecem não existir. Será que não está claro que uma consciência individual é apenas uma doença?

Talvez eu já não seja um fagócito que, zeloso, devora tranquilamente os micróbios (com têmporas azuladas e sardas): talvez eu seja um micróbio e, talvez, um dos milhares entre nós que como eu ainda fingem ser fagócitos...

E se o incidente de hoje, em essência de pouca importância, fosse apenas o início, apenas o primeiro meteorito de uma longa série de pedras retumbantes e incandescentes que caem do infinito sobre o nosso paraíso de vidro?

23ª ANOTAÇÃO

Resumo:

Flores. A dissolução de um cristal. Se ao menos.

Dizem que existem flores que desabrocham apenas uma vez a cada cem anos. Por que não existem outras que florescem uma vez a cada mil ou 10 mil anos? Talvez até agora não soubéssemos disso apenas porque essa vez a cada mil anos é exatamente hoje.

Embriagado e afortunadamente, desci as escadas para ver a plantonista, e rapidamente, diante de meus olhos, por toda parte ao meu redor, silenciosamente rebentavam brotos de milhares de anos e floresciam poltronas, sapatos, placas douradas, lâmpadas elétricas, os olhos escuros e hirsutos de alguém, parapeitos com colunas entalhadas, um lenço caído nos degraus, a mesa da plantonista, por cima desta as bochechas ternas, castanhas e salpicadas de Iu. Tudo era extraordinário, novo, suave, rosado e úmido.

Iu pegou meu talão cor-de-rosa, e sobre sua cabeça, através da parede de vidro, a lua azul e aromática pendia de um galho invisível. Triunfante, apontei e disse:

– A lua, compreende?

Iu lançou um olhar para mim, depois para o número no talão, e vi aquele movimento familiar tão encantador e recatado: arrumou a dobra do unif entre os joelhos.

– Você, meu querido, tem um aspecto anormal e doentio porque a anormalidade e a doença são a mesma coisa. Você está se arruinando e isso ninguém lhe dirá, ninguém.

Esse "ninguém" certamente se referia ao número no talão: I-330. Querida, admirável Iu! Você, é claro, está certa:

eu sou imprudente, estou doente, tenho uma alma, sou um micróbio. Mas não é o florescer de uma doença? Um broto não sente dor quando se rompe? Você não acha que o espermatozoide é o mais terrível dos micróbios?

Subi de volta para o meu quarto. I estava no amplo cálice da poltrona. E eu estava no chão, abraçado às suas pernas, minha cabeça apoiada em seus joelhos, ficamos calados. O silêncio, o pulso... E eu era um cristal, dissolvia-me nela, em I. Senti claramente que se derretiam: derretiam-se as facetas polidas que me limitam no espaço – desapareço, dissolvo-me em seus joelhos, nela, tornei-me muito menor e, ao mesmo tempo, muito mais amplo, cada vez maior, imenso. Porque ela não é ela, mas o Universo. E, por um segundo, eu e essa poltrona trespassada de alegria junto à cama somos um só: a velha sorridente ao lado da porta da Casa Antiga, a selva incivilizada no exterior do Muro Verde, ruínas de prata enegrecida que cochilavam como a velha, e, em algum lugar incrivelmente longe, o bater de uma porta. Isso tudo dentro de mim, junto comigo, ouvindo meu pulso e flutuando por um abençoado segundo...

Numa ridícula e confusa inundação de palavras, tentei contar a ela que eu era um cristal, e por isso dentro de mim havia uma porta, por isso me sentia como uma poltrona feliz. Porém, me saiu tamanho disparate que me interrompi. Fiquei realmente envergonhado: de repente, eu...

– Querida I, perdoe-me! Realmente não entendo, falo tantas bobagens...

– Por que você pensa que as bobagens são coisas ruins? Se a tolice humana fosse nutrida e cultivada ao longo dos séculos da mesma maneira que a inteligência, talvez conseguíssemos dela algo extraordinariamente precioso.

– Sim... (Me parecia que ela estava certa, como ela poderia estar errada agora?)

– E foi por causa de uma bobagem sua, pelo que você fez ontem no passeio, que te amo ainda mais, ainda mais.

– Mas por que é que você me tortura, por que você não veio, por que você enviou seus talões, por que me obrigou a...

– Talvez você precisasse ser testado. Talvez eu precisasse saber que você faria tudo o que eu quisesse, que você era completamente meu.

– Sim, completamente!

Ela pegou meu rosto – pegou-me por inteiro – com as palmas das mãos, levantou minha cabeça:

– Então, e como vão os seus "deveres de todo número honesto"? Hein?

Dentes brancos, pontiagudos e doces: um sorriso. Sentada no amplo cálice da poltrona, ela era como uma abelha: dentro dela, o ferrão e o mel.

Sim, os deveres... Folheei mentalmente minhas últimas anotações: de fato, em lugar nenhum havia sequer um pensamento sobre o que, na realidade, eu deveria...

Fiquei em silêncio. Com entusiasmo (e, provavelmente, como um tolo) sorri, observei suas pupilas, pulando de uma para a outra, e em cada uma delas vi a mim mesmo: eu era minúsculo, milimétrico, preso nessas pequeninas e irisadas masmorras. E, em seguida, de novo, abelhas, lábios, a dor doce do florescer...

Em cada um de nós, números, há um tipo de metrônomo invisível, fazendo um leve tique-taque, e, sem olhar para o relógio, sabemos a hora com uma precisão de cinco minutos. Mas, naquele momento, o metrônomo dentro de mim havia parado, e eu não sabia quanto tempo se passara. Assustado, peguei debaixo do travesseiro minha placa com o relógio...

Graças ao Benfeitor: ainda faltavam 20 minutos! Mas os minutos são ridiculamente curtos, muito curtos, correm, e eu tenho tanto para dizer a ela, tudo, tudo sobre mim: sobre a carta de O, sobre aquela noite terrível em que dei a ela um bebê; e, por alguma razão, algo sobre a minha infância, sobre o matemático Pliapa, a $\sqrt{-1}$ e como, pela primeira vez, no feriado da Unanimidade, chorei amargamente porque naquele dia havia uma mancha de tinta no meu unif.

I levantou a cabeça, apoiou-se no cotovelo. Duas longas linhas agudas formavam-se no canto dos seus lábios, e o ângulo escuro de suas sobrancelhas erguidas: uma cruz.

– Talvez, naquele dia... – interrompeu-se, e suas sobrancelhas ficaram ainda mais escuras. Ela pegou minha mão e apertou-a com força. – Diga que você não irá me esquecer, você sempre se lembrará de mim?

– Por que você está assim? Do que você está falando, I, querida?

Ela ficou em silêncio, e seus olhos passaram por mim, através de mim, para longe. E, de repente, ouvi o vento açoitar o vidro com suas asas imensas (sem dúvida isso acontecera durante todo o tempo, mas eu o ouvira apenas agora), e por algum motivo recordei dos pássaros estridentes sobrevoando o Muro Verde.

I sacudiu a cabeça, tentando tirar algo de si. Mais uma vez, por um segundo, tocou-me com todo o corpo – como um aero toca o solo, repelindo-o por um segundo antes de pousar.

– Então, vamos, passe as minhas meias! Rápido!

As meias estavam jogadas na minha mesa, sobre a página aberta das minhas notas. Na pressa, esbarrei no manuscrito, as páginas se espalharam e não havia como colocá-las em ordem – e o mais importante era que, se o fizesse, não seria a ordem verdadeira, ficariam de qualquer maneira alguns cortes, buracos e Xs.

– Não posso fazer isso – disse eu. – Você está aqui agora, ao meu lado, e mesmo assim é como se você estivesse atrás de uma antiga parede opaca: ouço através da parede sussurros e vozes, mas não consigo decifrar as palavras, não sei o que há lá. Desse jeito não posso. Você sempre deixa as coisas por dizer, você nunca me disse aonde eu fui parar na Casa Antiga e que corredores eram aqueles, e por que o doutor... Ou será que nada disso aconteceu?

I colocou as mãos nos meus ombros, lenta e profundamente penetrou meus olhos:

– Você quer saber de tudo?

– Sim, eu quero. Preciso.

– E não terá medo de ir comigo a qualquer lugar, até o fim, aonde quer que eu te leve?

– Sim, a qualquer lugar!

– Está bem. Prometo que, quando o feriado terminar, se ao menos... Ah, sim: e como vai a sua "Integral", sempre me esqueço de perguntar, fica pronta logo?

– Não. Como "se ao menos"? De novo? O que quer dizer "se ao menos"?

Ela (já junto à porta):

– Você verá por si mesmo...

Fiquei só. Tudo o que restou dela foi esse cheiro quase imperceptível, semelhante ao pólen doce, seco e amarelo de algumas flores de fora do Muro. E mais uma coisa: as perguntas-gancho se cravavam solidamente em mim, à maneira que os antigos empregavam para pescar os peixes (Museu Pré-Histórico).

Por que de repente ela perguntou sobre a "Integral"?

24ª ANOTAÇÃO

Resumo:

O limite da função. Páscoa. Riscar tudo.

Eu sou como uma máquina funcionando em rotação excessiva; os rolamentos ficaram incandescentes, um minuto a mais e o metal derretido começará a gotejar e tudo se converterá em nada. Depressa: água fria, lógica. Derramo água aos baldes, mas a lógica sibila nos rolamentos em brasa e dissipa um vapor branco e imperceptível pelo ar.

Mas é claro: para determinar a verdadeira importância de uma função é preciso levá-la ao limite. E é evidente que a absurda "dissolução do universo" de ontem, levada ao limite, é a morte. Porque a morte é exatamente a absoluta dissolução do eu no universo. Então, se "A" designa o amor, e "M" a morte, logo, A= f(M), isto é, o amor e a morte...

Sim, exatamente, exatamente. Por isso tenho medo de I, resisto a ela, não quero. Mas por que é que coexistem dentro de mim "não quero" e "eu quero"? É aí que está o horror, que eu queira novamente aquela morte feliz de ontem. O horror está justamente no fato de que, inclusive agora, quando a função lógica foi integrada, quando evidentemente está implícito que ela abarca em si a morte, eu mesmo assim a quero com meus lábios, mãos, peito, com cada milímetro...

Amanhã é o Dia da Unanimidade. Certamente ela estará lá. Eu a verei, mas apenas de longe. E de longe será doloroso, porque tenho uma necessidade impetuosa de estar ao lado dela, de suas mãos, seus ombros, seus cabelos... Porém, quero até mesmo essa dor – que venha!

Grande Benfeitor! Que absurdo é desejar a dor. Quem não compreende que as dores são negativas, são componentes que reduzem a soma que chamamos de felicidade? E, consequentemente...

Não há nenhum "consequentemente". Simples. Nu.

AO ANOITECER:

Através das paredes de vidro do prédio – um inquieto pôr do sol ventoso, febril e rosado. Virei minha poltrona para que essa luz rosada não ficasse diante de mim, folheei minhas notas e vi: esqueci mais uma vez que não escrevo isto para mim, mas para vocês, desconhecidos, que eu amo e de quem tenho pena, para vocês, que ainda se arrastam em algum lugar nos séculos distantes, lá embaixo.

Pois bem, sobre o Dia da Unanimidade, sobre esse grandioso dia. Sempre o adorei, desde a infância. Acho que para nós é algo semelhante ao que era a "Páscoa" para os antigos. Lembro que, na véspera, eu costumava fazer uma espécie de pequeno calendário de horas e com satisfação riscava uma hora atrás da outra: uma hora mais próximo, uma hora a menos para esperar... Se tivesse certeza de que ninguém me veria, dou minha palavra de que agora eu levaria comigo, para todos os lugares, um desses pequenos calendários para acompanhar quantas horas ainda restam até amanhã, quando a verei, ainda que de longe...

(Interromperam-me: trouxeram-me um novo unif que acabou de sair da oficina de costura. Como de costume, todos nós recebemos novos unifs para o dia de amanhã. Nos corredores ouvem-se passos, exclamações de alegria, barulho.)

Continuo. Amanhã assistirei ao mesmo espetáculo que se repete ano após ano e cada vez emociona de uma maneira diferente: o poderoso Cálice do Consentimento, as mãos erguidas em reverência. Amanhã é o dia da eleição anual do Benfeitor. Amanhã voltaremos a confiar ao Benfeitor as chaves da inabalável fortaleza da nossa felicidade.

Sem dúvida, isso não é parecido com as eleições confusas e desorganizadas dos antigos, quando – é engraçado dizer – o resultado das eleições sequer era conhecido de antemão. Construir um governo sobre casualidades inteiramente incalculáveis, às cegas – o que pode ser mais sem sentido? E ainda assim, foram necessários séculos para entender isso.

Seria importante dizer que, tanto nisso como em tudo o mais, não temos lugar para quaisquer casualidades, o inesperado não é possível. As próprias eleições têm um significado mais simbólico: recordar que somos um organismo único, poderoso, de milhões de células, que somos, nas palavras do "Evangelho" dos antigos, uma única Igreja. Isso porque a história do Estado Único não conhece um incidente em que, nesse dia solene, uma única voz tenha ousado perturbar o grandioso uníssono.

Dizem que os antigos realizavam as eleições de uma maneira secreta, escondendo-se como ladrões; alguns de nossos historiadores afirmam, inclusive, que eles apareciam nas festividades eleitorais cuidadosamente mascarados (imagino esse espetáculo fantástico e sombrio: noite, uma praça, figuras de capas escuras andando furtivamente ao longo das paredes; a chama das tochas rubras se curvando ao vento...). Para que era necessário todo esse mistério, até agora isso não foi esclarecido de maneira cabal; o mais provável é que as eleições estivessem conectadas a ritos místicos, supersticiosos e, talvez, até criminosos. Nós não temos nada para esconder ou do que nos envergonhar: celebramos nossas eleições abertamente, de maneira honesta, de dia. Eu vejo que todos votam no Benfeitor, e todos veem que eu voto no Benfeitor – e não poderia ser diferente, uma vez que "todos" e "eu" somos um único "Nós". Como isso é mais nobre, sincero e elevado do que o covarde, furtivo e "secreto" dos antigos! Além disso: é mais racional. E se o impossível for sugerido, isto é, que exista alguma dissonância entre a monofonia habitual, os Guardiões invisíveis que estão aqui – em nossas fileiras – podem localizar imediatamente os números que caíram no erro e salvá-los de futuros passos em falso, e também salvar o Estado Único deles. E, finalmente, mais uma coisa...

Através da parede do lado esquerdo: diante do espelho da porta do armário, uma mulher desabotoava apressada o unif. E por um segundo, de maneira vaga: olhos, lábios, dois frutos rosados e pontiagudos. Em seguida as cortinas se fecharam, instantaneamente tudo era como ontem e não sei o que significa esse "finalmente, mais uma coisa", e não quero falar disso, não quero! Quero apenas uma coisa: I. Quero que ela esteja cada minuto, todos os minutos, sempre comigo – apenas comigo. E o que acabei de escrever sobre o Dia da Unanimidade é irrelevante, quero apagar tudo, arrancar, jogar fora. Porque sei (mesmo que seja um sacrilégio, mas é verdade): é feriado apenas com ela, quando ela está ao meu lado, ombro a ombro. E sem ela, o sol de amanhã será apenas um pequeno círculo de lata, um céu de lata pintado de azul, e eu também...

Agarrei o telefone:

– I, é você?

– Sim, sou eu. Como é tarde!

– Talvez ainda não seja tarde. Quero te pedir... Quero que amanhã você fique comigo. Querida...

"Querida", eu disse muito baixo. E por alguma razão, por um instante, passou-me pela cabeça o ocorrido de hoje de manhã no hangar: de brincadeira, colocaram um relógio sob um martelo de cem toneladas, houve uma oscilação, um sopro de vento no rosto e um suave e silencioso toque de cem toneladas no frágil relógio.

Pausa. Pareceu-me ouvir lá, no quarto de I, o sussurro de alguém. Depois, a voz dela:

– Não, não posso. Compreenda: eu gostaria... Não, não posso. Por quê? Amanhã você verá.

NOITE

25ª ANOTAÇÃO

Resumo:

Descendo do céu. A maior catástrofe da história. O fim do conhecido.

Quando, antes do início, todos se levantaram, e solene e vagarosamente o hino flutuou como uma cortina sobre nossas cabeças – centenas de trompas da Fábrica Musical e milhões de vozes humanas – eu, por um segundo, me esqueci de tudo: me esqueci da coisa alarmante que I dissera sobre o feriado de hoje e, ao que parece, me esqueci inclusive dela. Eu era agora aquele mesmo menino que, não faz muito tempo, chorava neste dia por causa de uma manchinha imperceptível no unif. Ainda que ninguém ao meu redor visse que tenho manchas negras indeléveis, entretanto, eu sei que sou um criminoso e que não tenho lugar entre esses rostos completamente transparentes. Ah, se eu pudesse me levantar agora mesmo e, sufocando, gritar tudo sobre mim. Mesmo que depois fosse o fim – que seja! –, por um segundo me sentiria puro, sem pensamentos, como esse céu azul e infantil.

Todos os olhos se dirigiram para cima: para o azul matutino, imaculado, ainda não ressecado pelas lágrimas noturnas. Lá havia uma mancha pouco perceptível, ora escura, ora coberta pelos raios do sol. Era Ele, que descia dos céus até nós, o novo Jeová no aero, tão sábio, afetuoso e cruel como o Jeová dos antigos. A cada minuto Ele chegava mais perto, milhões de corações alçavam-se mais alto ao seu encontro, Ele já nos via. Juntei-me a Ele, mentalmente, do alto, olhei ao redor: os círculos concêntricos das tribunas traçados com finos ponteados azuis, como se fossem círculos de uma teia de aranha, cobertos de sóis microscópicos (as placas brilhantes); no centro dela logo se sentará a sábia e branca Aranha: o Benfeitor em suas roupas brancas, sabiamente nos unindo pelas mãos e pelos pés com as benéficas teias da felicidade.

Sua majestosa descida dos céus estava finalizada. O som de cobre do hino se calara, todos se sentaram, e no mesmo instante compreendi: tudo era realmente uma finíssima teia, esticada e tremulando. A qualquer momento ela se romperia e algo inimaginável iria acontecer...

Levantando-me ligeiramente, olhei ao redor e me deparei com olhos afetuosos e inquietos, que passavam de rosto em rosto. Então um número ergueu a mão e, de maneira quase imperceptível, fez um sinal com o dedo para outro. Em seguida, outro dedo fez um sinal em resposta. E mais outro... Compreendi: eram os Guardiões. Percebi que algo os alarmava, a teia estava tensionada, tremia. E dentro de mim – como num receptor de rádio sintonizado na mesma frequência de onda – senti um tremor em resposta.

No palco, um poeta lia uma ode eleitoral, mas não ouvi nenhuma palavra: apenas a rítmica oscilação do pêndulo hexamétrico, e, a cada impulso seu, todos ficavam mais próximos da hora fixada. Nas fileiras, folheei febrilmente um rosto atrás do outro, como se fossem páginas; contudo, não vi o único rosto que buscava, precisava encontrá-lo rapidamente porque o pêndulo soaria, e depois...

Era ele, era ele, claro. Embaixo, ao lado do palco, deslizando pelo vidro brilhante, passaram correndo as orelhas-asas rosadas, o corpo correndo refletia a escura e duplamente encurvada letra S. Ele se dirigia para algum lugar nas passagens emaranhadas entre as tribunas.

S, I: havia algum fio conectando-os. (Sempre soube que havia alguma ligação entre eles; ainda não sei qual, mas algum dia irei desvendá-la.) Cravei o olhar nele: era como um pequeno novelo rolando para frente e deixando o fio atrás de si. Então ele parou, e...

Como um relâmpago, uma descarga de alta voltagem: fui atravessado, retorcido num nó. Na nossa fileira, apenas a 40 graus de mim, S parou e se inclinou. Vi I e, ao lado dela, o sorridente de lábios negroides, o detestável R-13.

Meu primeiro pensamento foi correr até lá e gritar com ela: "Por que você está com ele hoje? Por que você não quis vir comigo?". Mas uma teia invisível e benéfica prendia com força minhas mãos e pés. Cerrando os dentes, sentei-me firme como um pedaço de ferro, sem tirar os olhos deles. Mesmo agora sinto uma aguda dor física no coração; lembro-me que pensei: "Se de causas não físicas é possível ter dor física, então está claro que...".

Infelizmente, não cheguei a uma conclusão: veio-me à memória, apenas de maneira breve, algo sobre a "alma". Atravessou-me como um relâmpago um antigo provérbio sem sentido, "com a alma em pedaços". Fiquei petrificado: o hexâmetro havia se calado. Algo começava... O quê?

Seguiu-se a estabelecida e habitual pausa eleitoral de cinco minutos. O estabelecido e habitual silêncio eleitoral. Mas esse momento não havia sido realmente oracional e piedoso como sempre: foi como nos tempos antigos, quando nossas Torres Acumuladoras ainda não haviam sido inventadas, quando o céu indômito ainda desencadeava, de tempos em tempos, "tempestades". Era como um momento antes de uma tempestade ancestral.

O ar era de ferro fundido transparente. Dava vontade de respirar com a boca toda aberta. Meus ouvidos dolorosamente tensos registraram: em algum lugar atrás de mim, o roer de um rato, um sussurro inquieto. Sem levantar os olhos, observava o tempo todo aqueles dois – I e R – juntos, ombro a ombro, e minhas mãos peludas, estranhas, que eu odiava, tremiam sobre meus joelhos.

Todos tinham em mãos as placas com os relógios. Um. Dois. Três... Cinco minutos... Do palco, uma voz de ferro disse devagar:

– Quem está "a favor", peço que levante a mão.

Se eu pudesse olhá-Lo diretamente nos olhos, como antes, com devoção: "Estou aqui por inteiro. Por inteiro. Toma-me!". Mas não me atrevi. Com esforço, levantei a mão como se minhas articulações estivessem enferrujadas.

O farfalhar de milhões de mãos. Alguém emitiu um "ah!" sufocado. Senti que alguma coisa já havia se iniciado, caía a toda velocidade, mas não compreendi o que era, e não tive forças, não me atrevi a olhar...

– Quem é "contra"?

Esse sempre foi o momento mais sublime do feriado: todos permaneciam sentados sem se mover, inclinando a cabeça com alegria ante o jugo benéfico do Número dos Números. Mas, então, com horror ouvi novamente aquele sussurro: leve, como um suspiro, era mais audível do que as trombetas do hino de antes. Como o último e quase inaudível suspiro na vida de uma pessoa – os rostos de todos ao redor empalideceram, nas suas testas gotas de suor frio.

Levantei os olhos, e...

Num centésimo de segundo, num fio de cabelo. Vi milhares de mãos erguidas agitando-se "contra" e depois abaixarem. Vi o rosto pálido de I marcado por uma cruz, sua mão levantada. Minha visão escureceu.

Mais um fio de segundo; pausa; silêncio; pulso. Em seguida, como o sinal de um maestro enlouquecido, em todas as tribunas, ao mesmo tempo, um estrondo, gritos, um torvelinho de unifs correndo, as figuras dos Guardiões movendo-se confusamente, o solado dos sapatos de alguém pelo ar diante dos meus próprios olhos, e, ao lado deles, a boca escancarada de alguém berrando um grito inaudível. Por alguma razão, isto ficou gravado de maneira mais veemente do que tudo: milhares de bocas vociferando sem som, como numa tela monstruosa.

E, como numa tela, em algum lugar embaixo e distante, vi por um segundo diante de mim os lábios pálidos de O; ela estava colada contra a parede na passagem, protegia seu ventre posicionando os braços em forma de cruz. E então ela sumiu, foi levada, ou esqueci-me dela porque...

Isso já não estava mais na tela, foi dentro de mim mesmo, no meu coração apertado, nas minhas têmporas, que latejavam incessantes. Sobre a minha cabeça, à esquerda, surgiu de repente R-13, em cima de um banco, salpicando, vermelho, furioso. Nos braços dele estava I, pálida, o unif rasgado do ombro ao peito, sobre o branco havia sangue. Ela o segurava com força pelo pescoço, e ele, com saltos gigantescos, de banco em banco, asqueroso e astuto como um gorila, carregou-a para cima.

Foi como um incêndio dos tempos antigos: tudo se tornou rubro, e só havia uma coisa a fazer: dar um salto e alcançá-los. Não posso explicar agora de onde tirei tamanha força, mas, como um aríete, abri caminho pela multidão, pelos ombros, pelos bancos. Já estava perto deles – então, consegui agarrar R pelo colarinho:

– Não se atreva! Estou lhe dizendo, não se atreva! Agora mesmo! (Felizmente, não se ouvia minha voz, todos gritavam e corriam.)

– Quem? O que foi? O quê? – ele se virou, os lábios salpicando, tremia, provavelmente pensou que um dos Guardiões o havia agarrado.

– O quê? Não quero, não vou permitir! Tire as mãos dela agora mesmo!

Mas ele apenas estalou os lábios com raiva, balançou a cabeça e continuou correndo. Então, eu (sinto-me incrivelmente envergonhado de escrever isso, mas acredito que devo mesmo assim, devo escrever para que vocês, meus leitores desconhecidos, possam estudar até o fim a história da minha doença) golpeei-o com força na cabeça. Compreendem? Golpeei-o! Lembro-me disso com precisão. E também me lembro: uma sensação de certa libertação, de leveza por todo o meu corpo por ter desferido aquele golpe.

I deslizou rapidamente dos braços dele.

– Vá – ela gritou a R. – Você está vendo: ele... Vá embora, R, vá!

R arreganhou os dentes brancos, de negro, salpicou-me o rosto com alguma palavra, mergulhou e desapareceu. Peguei I com os braços, com força apertei-a contra mim e a levei embora.

Meu coração batia – imenso, e a cada batida irrompia com tamanha violência, ardência, tamanha onda de alegria. E não importa que algo tenha se espalhado em mil pedaços – não faz diferença! Contanto que a carregue assim, e continue carregando, carregando...

AO ANOITECER. 22 HORAS.

É com dificuldade que seguro a pena em minhas mãos: o cansaço é imensurável depois de todos os acontecimentos vertiginosos desta manhã. Será possível que as paredes salvadoras e seculares do Estado Único tenham desmoronado? Será que de novo estamos sem abrigo, no selvagem estado de liberdade, como nossos antepassados distantes? Será que não há Benfeitor? Contra... no Dia da Unanimidade... Contra? Sinto vergonha, dor e medo por eles. E pensando bem, quem são "eles"? E quem sou eu: "eles" ou "nós"? Será que eu sei?

Lá estava ela: sentada no banco de vidro aquecido pelo sol na tribuna mais alta, para onde eu a trouxera. Seu ombro direito e o colo – o início de uma miraculosa e incalculável curvatura – estavam descobertos; uma finíssima e vermelha serpente de sangue. Ela parecia não perceber o sangue, o seio descoberto... Não, mais que isso: ela notara tudo, mas era exatamente o que ela precisava naquele momento, e se seu unif estivesse abotoado, ela mesma o rasgaria, ela...

– E amanhã... – respirava avidamente através de seus dentes cerrados, brilhantes e pontiagudos. – Amanhã, não se sabe o que acontecerá. Você compreende: nem eu sei, ninguém sabe, é desconhecido. Você compreende que é o fim de tudo que é conhecido? Isso é novo, incrível, sem precedentes.

Lá embaixo, espumavam, corriam, gritavam. Mas tudo isso estava distante e ficava mais distante porque ela olhava para mim, lentamente me arrastava para dentro de si por entre as janelas douradas e estreitas de suas pupilas. Ficamos assim por um longo tempo, em silêncio. Por alguma razão veio-me à memória aquela vez em que, através do Muro Verde, eu também olhava as inexplicáveis pupilas amarelas de alguém, e os pássaros esvoaçavam acima do Muro (ou isso aconteceu em outra ocasião?).

– Escute: se amanhã não acontecer nada extraordinário, eu te levarei até lá, você compreende?

Não, eu não compreendia. Mas em silêncio assenti com a cabeça. Eu me dissolvi, eu era infinitamente pequeno, um ponto...

No fim das contas, nesse estado de ser um ponto, existe uma lógica própria (de hoje): mais do que tudo há incertezas em um ponto; basta colocar-se em movimento, agitar-se e ele pode se transformar em milhares de curvas diferentes, centenas de corpos.

Estava aterrorizado em me mover: em que me transformarei? E me parece que todos estavam assim, como eu, com medo do menor movimento. E agora, enquanto escrevo isso, todos estão sentados, escondendo-se em suas gaiolas de vidro, esperando por alguma coisa. No corredor, não se ouve o habitual zumbido do elevador nesse horário, não se ouvem risos, passos. Às vezes vejo pessoas em pares olhando, passando nas pontas dos pés pelo corredor, sussurrando...

O que acontecerá amanhã? No que me transformarei amanhã?

26ª ANOTAÇÃO

Resumo:

O mundo existe. Urticária. 41º.

Manhã. Através do teto, o céu: sólido, arredondado, de bochechas coradas, como de costume. Acho que eu teria ficado menos surpreso se visse um excepcional sol quadrado sobre minha cabeça, pessoas em roupas multicoloridas feitas de pelos de animais, paredes opacas de pedra. Então, significa que o mundo – o nosso mundo – ainda existe? Ou isso é apenas a inércia, o gerador já foi desligado, e as engrenagens ainda estrondam e giram: duas voltas, três voltas, na quarta irão parar...

Vocês estão familiarizados com essa estranha condição? Acordar à noite, abrir os olhos no escuro e de repente sentir-se perdido, e depressa, muito depressa, começar a apalpar ao redor, buscando algo familiar e sólido: uma parede, uma lâmpada, uma cadeira. Exatamente assim tateei, buscando na Gazeta do Estado Único, rápido, rápido – então:

Ontem, realizou-se o Dia da Unanimidade, impacientemente e há muito esperado por todos. Pela 48ª vez, o Benfeitor, que muitas vezes provou sua sabedoria inabalável, foi eleito por unanimidade. A solenidade foi perturbada por um pequeno distúrbio provocado pelos inimigos da felicidade, e eles próprios, naturalmente, privaram-se do direito de tornarem-se tijolos da fundação do ontem renovado Estado Único. É evidente, para qualquer um, que levar em consideração as suas vozes seria tão absurdo quanto tomar como parte de uma grandiosa sinfonia heroica a tosse de um dos presentes na sala de concerto, que por acaso estava doente...

* * *

Oh, que sábio! Será que, todavia, apesar de tudo, estamos salvos? É realmente possível retrucar esse silogismo cristalino?

Em seguida, mais três linhas:

Hoje às 12 horas será realizada uma sessão conjunta entre os Departamentos Administrativo, Médico e dos Guardiões. Nos próximos dias será emitido um importante Ato Estatal.

Não, nossas paredes ainda estão de pé – aqui estão, posso tocá-las. E aquele estranho sentimento de que estou perdido, de não saber onde estou, de que perdi meu caminho, já se foi. Não é nenhuma surpresa ver o céu azul, o sol redondo; e todos, como de costume, dirigem-se para o trabalho.

Eu caminhava pela avenida de maneira particularmente firme e sonora, e me parecia que todos andavam assim. Mas no cruzamento, virei a esquina e vi: as pessoas contornavam um edifício na esquina de maneira um pouco estranha, como se numa parede houvesse se rompido algum cano e a água gelada jorrasse, impedindo a passagem pela calçada.

Mais cinco, dez passos, e eu também fiquei encharcado de água fria, cambaleei e fui jogado para fora da calçada... No alto da parede, aproximadamente a 2 metros, havia uma folha de papel quadrada e nela incompreensíveis letras verde-veneno:

MEFI

E, embaixo, costas metaforicamente encurvadas, orelhas como asas transparentes balançando-se de cólera ou inquietude. Estava com o braço direito levantado e o esquerdo esticado para trás, impotente – como uma asa ferida, quebrada. Ele pulava para arrancar o papel, mas não conseguia, não alcançava.

É provável que todos os que passavam por ali pensassem: "Se eu me aproximar, eu entre todos, será que ele não pensará que sou culpado de alguma coisa e é exatamente por isso que quero...".

Reconheço que tive esse mesmo pensamento. Mas me lembrei de quantas vezes ele havia sido meu verdadeiro anjo da guarda, de quantas vezes havia me salvado e sem hesitar me aproximei, levantei o braço e arranquei a folha de papel.

S virou-se, rapidamente suas brocas me perfuraram até o fundo, de onde extraiu alguma coisa. Depois, ergueu a sobrancelha esquerda e piscou, indicando a parede onde estava pendurado "Mefi". E a cauda do seu sorriso me perpassou – para minha surpresa, ele parecia até alegre. E, aliás, por que ficar tão surpreso? Em vez da penosa e lenta elevação da temperatura no período de encubação, um médico sempre irá preferir uma urticária e uma febre de 40°: assim, pelo menos está claro qual é a doença. O "Mefi" que aparecia hoje nas paredes era uma urticária. Compreendi seu sorriso...*

---

* É necessário entender que a resolução exata para esse sorriso só descobri depois de alguns dias, repletos dos acontecimentos mais estranhos e inesperados. [N. do A.]

Descendo para a via subterrânea, sob meus pés, num degrau de vidro impecável, havia outra folha branca: "Mefi". Também numa parede lá embaixo, num banco, no espelho do vagão (pelo visto colado às pressas, de maneira negligente, torto). Em todo lugar essa mesma urticária branca e terrível.

No silêncio, ouvia-se distintamente o zumbido das rodas, como o barulho do sangue febril. Alguém foi tocado no ombro, ele estremeceu e deixou cair um pacote de papéis. À minha esquerda, um outro lia a mesma linha do jornal, de novo e de novo, e o jornal tremia, de modo quase imperceptível. Senti como se em todos os lugares – nas rodas, nas mãos, nos jornais, nos cílios – houvesse um pulso cada vez mais rápido, e talvez hoje, quando me encontrar com I lá embaixo, fará 39, 40, 41°, marcados pela linha negra do termômetro...

No hangar, o mesmo silêncio, como o zumbido distante e invisível de uma hélice. As máquinas estavam caladas, carrancudas. Apenas os guindastes, quase inaudíveis, como que na ponta dos pés, deslizando, inclinavam-se e agarravam com suas pinças os blocos azulados de ar congelado e os carregavam a bordo das cisternas da "Integral": já nos preparávamos para o voo de teste.

– Então: terminaremos a operação de carga em uma semana?

Era eu perguntando para o Segundo Construtor. Seu rosto era de louça pintada com flores de um azul suave e um rosa delicado (os olhos e os lábios), mas hoje eles estavam desbotados, lavados. Calculávamos em voz alta, mas, de repente, me interrompi na metade da palavra e fiquei ali parado, boquiaberto: no alto, sob a cúpula, num bloco azul erguido pelo guindaste – quase imperceptível – um quadrado branco, uma folha de papel colada. Eu tremia todo, talvez por causa do riso, sim, eu ouvia meu riso (vocês conhecem a sensação de ouvir o próprio riso?).

– Não, escute... – eu disse. – Imagine que você está num antigo aeroplano, o altímetro marca 5 mil metros, uma asa se rompe, você cai como um pombo, e no caminho calcula: "Amanhã das 12 às 2... das 2 às 6... às 6 é a refeição...". Isso não é ridículo? E é exatamente isso o que estamos fazendo agora!

As florzinhas azuladas se agitaram, arregalaram-se. E se eu fosse feito de vidro e ele pudesse ver que dentro de umas três ou quatro horas?...

27ª ANOTAÇÃO

Resumo:

Não há nenhum resumo, não é possível.

Estou sozinho naqueles mesmos corredores sem fim. O céu é mudo, de concreto. Em algum lugar a água goteja sobre uma pedra. A conhecida porta pesada e opaca, atrás dela um ruído surdo.

Ela disse que viria me ver exatamente às 16 horas. Mas das 16h já se passaram cinco, dez, quinze minutos: ninguém.

Por um segundo volto a ser meu eu anterior, com medo de que a porta se abra. Mais cinco minutos, e se ela não sair...

Em algum lugar, a água goteja sobre uma pedra. Ninguém. Com uma melancólica alegria sinto que estou salvo. Lentamente, dou meia-volta pelo corredor. O pontilhado trêmulo das pequenas lâmpadas no teto fica cada vez mais pálido, mais pálido...

Subitamente, atrás de mim, a porta estalou rápida, o ruído de passos apressados ecoou suavemente no teto e nas paredes, e lá estava ela, etérea, ligeiramente sem fôlego da corrida, respirando pela boca.

– Eu sabia que você estaria aqui, que você viria! Eu sabia, você, você...

As lanças de seus cílios se afastaram, deixaram-me entrar e... Como explicar o que esse antigo, absurdo e miraculoso rito faz comigo quando seus lábios tocam os meus? Que fórmula pode expressar esse torvelinho que varre tudo da minha alma, exceto ela? Sim, sim, da alma – riam se quiserem.

Com esforço, ela ergueu devagar as pálpebras e, com dificuldade, disse lentamente as seguintes palavras:

– Não, chega... Depois: agora vamos.

A porta se abriu. Degraus desgastados e velhos. Um insuportável e heterogêneo alarido, silvo, luz...

Desde então se passaram quase 24 horas, tudo dentro de mim se sedimentou um pouco. Todavia, é extraordinariamente difícil dar uma descrição sequer aproximada. É como se dentro da minha cabeça uma bomba houvesse explodido: bocas abertas, asas, gritos, folhas, palavras, pedras – lado a lado, amontoados, um atrás do outro...

Lembro-me de que a primeira coisa a me passar pela cabeça foi: "Depressa, corra de volta". Porque estava claro para mim: enquanto eu estava lá, esperando nos corredores, de alguma maneira eles haviam explodido ou destruído o Muro Verde, e tudo o que havia lá se precipitara e invadira nossa cidade, até agora purificada desse mundo inferior.

Devo ter dito algo do gênero a I. Ela caiu na risada:

– Não, de jeito nenhum! Simplesmente saímos do Muro Verde...

Então, abri os olhos e fiquei cara a cara com a própria realidade, que até então nenhuma pessoa viva havia visto, a não ser diminuída milhares de vezes, atenuada, dissimulada pelo vidro turvo do Muro.

O sol... Esse não era o nosso sol, distribuído uniformemente pela superfície espelhada do pavimento: eram fragmentos vivos, manchas que saltavam constantemente, cegavam meus olhos e faziam minha cabeça girar. E as árvores eram como velas que se projetavam para o céu; eram como aranhas agachadas na terra, com suas patas ásperas; eram como fontes mudas e verdes... E tudo se arrastava, movia-se, sussurrava. Sob meus pés um pequeno novelo áspero disparou, fiquei paralisado, não pude dar nenhum passo porque a superfície sob meus pés não era plana – compreendam, a superfície não era plana –, mas algo detestavelmente macio, maleável, vivo, verde, flexível.

Fiquei aturdido com tudo aquilo, engasguei – essa talvez seja a palavra mais apropriada. Fiquei parado, com as duas mãos agarradas em algum galho oscilante.

– Não é nada, não é nada! Isso é só o começo, vai passar. Seja corajoso!

Ao lado de I, sobre a vertiginosa tela verde e irrequieta, o perfil muito delgado de alguém recortado num papel... Não, não de qualquer um, eu o conhecia. Lembrei-me: o doutor. Não, não, compreendi tudo com mais clareza. E então entendi: os dois pegaram-me pelos braços e, rindo, me arrastaram para frente. Eu deslizava ziguezagueando. Crocitos, musgo, montículo, gritos, galhos, troncos, asas, folhas, silvo...

As árvores se dispersaram, uma clareira iluminada, e pessoas na clareira... ou, não sei como dizer, talvez o mais correto seja: seres.

Isso é o mais difícil. Porque excedia todos os limites do verossímil. E agora está claro para mim por que I sempre foi tão persistente em guardar silêncio: eu não acreditaria de qualquer forma, mesmo nela. É possível que amanhã eu não acredite em mim mesmo, ou nestas próprias notas.

Na clareira, ao redor de uma pedra nua parecida com um crânio, fazia algazarra uma multidão de trezentas, quatrocentas... pessoas – suponhamos que sejam "pessoas", é difícil dizer outra coisa. Assim como nas tribunas, num primeiro momento, em meio à massa geral de rostos, você percebe apenas os familiares, da mesma maneira aqui, vi antes de tudo apenas os nossos unifs cinza-azulados. Em seguida, entre os unifs, de maneira completamente distinta e simples: pessoas negras como um corcel, ruivas, louras, castanhas, gris e brancas, pelo visto, eram pessoas. Todos estavam sem roupas e cobertos com uma pelagem curta e reluzente, semelhante àquela que se vê num cavalo empalhado no Museu Pré-Histórico. Mas as fêmeas tinham rostos exatamente como – sim, sim, exatamente iguais – os das nossas mulheres: delicadamente rosados e sem pelos, seus seios também estavam livres de pelos – eram volumosos e firmes, com belas formas geométricas. Os machos apenas não tinham pelos em parte do rosto, assim como os nossos ancestrais.

Aquilo foi a tal ponto inacreditável, a tal ponto inesperado, que fiquei calmamente parado – posso afirmar com certeza: fiquei calmamente parado, observando. Como numa balança: sobrecarrega-se um prato e depois não importa o quanto a mais se coloca, não fará diferença, o ponteiro não se moverá...

De repente, eu estava sozinho: I não estava mais comigo, não sabia para onde e como ela desaparecera. Ao meu redor ficaram apenas aqueles seres de pelo acetinado brilhando ao sol. Agarrei o ombro quente, forte e escuro de alguém:

– Escute, pelo Benfeitor, você não viu para onde ela foi? Ela estava aqui nesse instante, agora mesmo...

Sobrancelhas peludas e severas olharam para mim:

– Sh, sh, sh! Silêncio – e o peludo apontou para o centro da clareira, onde estava a pedra amarela como um crânio.

Lá em cima, acima das cabeças, acima de todos, estava ela. O sol vinha da mesma direção, diretamente nos meus olhos, e ela inteira – sobre a tela azul do céu – era uma silhueta afiada, carvoenta, negra como carvão contra o fundo azul. As nuvens voavam um pouco acima, e parecia que já não eram mais as nuvens, mas pedra, e ela própria estava sobre a pedra, e atrás dela a multidão, a clareira – deslizando sem ruído, como um navio, e a terra suavemente navegando sob os pés...

– Irmãos... – ela disse. – Irmãos! Vocês todos sabem que lá, atrás do Muro, na cidade, estão construindo a "Integral". E vocês sabem que chegou o dia em que destruiremos o Muro, todas as paredes, para que o vento verde sopre de ponta a ponta, por toda a Terra. Mas a "Integral" levará essas paredes para lá, para o espaço, para milhares de outros mundos, que hoje à noite sussurrarão a vocês com suas fogueiras através das escuras folhagens noturnas...

Ao redor da pedra – ondas, espuma, vento:

– Abaixo a "Integral"! Abaixo!

– Não, irmãos: abaixo, não. Mas a "Integral" precisa ser nossa. No dia em que ela primeiro for lançada ao céu, nós estaremos dentro dela. Porque aqui conosco está o Construtor da "Integral". Ele deixou os Muros e veio comigo para cá, para estar entre vocês. Viva o Construtor!

Num instante, eu estava em algum lugar no alto. Abaixo de mim: cabeças e mais cabeças, bocas abertas gritando, braços que se lançavam para cima e para baixo. Isso foi excepcional, estranho, inebriante: senti-me acima de todos, eu era eu, algo em separado, um mundo, deixei de ser um componente, como sempre, e me tornei uma unidade.

Então, com o corpo amassado, feliz, amarrotado como depois de um abraço amoroso, desci e fiquei ao lado da pedra. O sol, vozes de cima, o sorriso de I. Uma mulher de cabelos dourados, toda de cetim dourado, exalando um aroma herbal, apareceu. Levava nas mãos uma xícara que parecia ser feita de madeira. Ela sorveu um pouco com os lábios vermelhos e passou para mim. Bebi avidamente, de olhos fechados, para apagar o fogo. Bebi faíscas doces, picantes e frias.

Em seguida, o sangue dentro de mim, o mundo todo, andava mil vezes mais rápido, e a terra leve flutuava como plumas. E tudo ficou mais suave, fácil e claro para mim.

E então vi as familiares e enormes letras sobre a pedra: "Mefi", e por alguma razão isso era como deveria, um simples fio resistente conectando tudo. Vi uma rústica representação, talvez também na mesma pedra: um jovem alado, de corpo transparente, e onde deveria estar o coração, havia um carvão ardendo, vermelho, incandescente. E de novo: compreendi esse carvão... ou ao contrário, senti-o, da mesma forma que sem ouvir sinto cada palavra (ela falava do alto, da pedra) – senti que todos respiravam juntos e que voariam para algum lugar, como os pássaros sobre o Muro naquela vez...

De trás, da densidade espessa de corpos respirantes, uma voz alta:

– Mas tudo isso é loucura!

E parece que eu – sim, acho que fui eu mesmo – subi na pedra e de lá vi o sol, as cabeças sobre o azul, uma linha verde denteada, e gritei:

– Sim, sim, exatamente! É necessário que todos fiquemos loucos, é imprescindível que fiquemos todos loucos, o mais rápido possível! É imprescindível, eu sei.

I estava ao meu lado; seu sorriso era duas linhas escuras saindo do canto da boca para cima, formando um ângulo; dentro de mim havia um carvão, e foi instantâneo, suave, um pouco doloroso, perfeito...

Depois disso, apenas restaram fragmentos dispersos.

Um pássaro passou voando baixo, devagar. Vi que era um ser vivo como eu, virava a cabeça para a direita e para a esquerda como uma pessoa e pregou em mim seus olhos redondos e negros...

Mais: o dorso, de um pelo brilhante, da cor dos ossos de um velho elefante. Um inseto minúsculo, de asas transparentes, deslizava pelo dorso, que estremeceu para espantá-lo, tremeu mais uma vez...

E mais: a sombra das folhas era entrelaçada, uma treliça. Sob essa sombra, as pessoas estavam deitadas mascando algo semelhante a um legendário alimento dos antigos: um fruto longo e amarelo e com um pedaço escuro. Uma mulher meteu um desses em minhas mãos e achei engraçado: eu não sabia se podia comê-lo.

Novamente: multidão, cabeças, pernas, braços, bocas. Os rostos apareciam e desapareciam por um segundo, como bolhas que arrebentavam. E por um segundo, ou, talvez, apenas assim me pareceu, orelhas como asas transparentes passaram voando.

Com toda força apertei a mão de I. Ela olhou em volta:

– O que você tem?

– Ele está aqui... Pareceu-me que...

– Ele quem?

– ... Agora mesmo, na multidão...

As sobrancelhas finas e negras como carvão se erugueram até as têmporas: um triângulo pontiagudo, um sorriso. E não estava claro para mim por que ela sorria, como ela podia sorrir?

– Você não compreende, I, você não compreende o que significa se ele ou um deles estiver aqui.

– Que bobagem! Por acaso passa pela cabeça de alguém de lá, do outro lado do Muro, que estamos aqui? Lembre-se: você mesmo, alguma vez, porventura, pensou que isso era possível? Eles estão nos caçando lá, deixe-os! Você está delirando.

Ela sorriu suavemente, alegre, e eu também sorri. A terra inebriante, alegre e leve flutuava...

28ª ANOTAÇÃO

Resumo:

As duas. Entropia e energia. A parte opaca do corpo.

Vejam: se o seu mundo é parecido com o dos nossos antepassados distantes, então imaginem que algum dia no oceano vocês tropeçaram com a sexta, a sétima parte do mundo – uma espécie de Atlântida – com cidades-labirinto extraordinárias, pessoas que planam pelos ares sem a ajuda de asas ou aeros e pedras que podem ser levantadas com a força do olhar, resumindo, coisas que não viriam à cabeça nem se vocês sofressem da doença do sonho. É assim que foi o dia de ontem para mim. Porque, compreendam, nenhum de nós, nunca, desde a Guerra dos Duzentos Anos, esteve fora do Muro – já lhes falei sobre isso.

Eu sei que é meu dever para com vocês, amigos desconhecidos, contar em detalhes sobre esse mundo estranho e inesperado que se revelou para mim ontem. Mas por enquanto eu não estou em condições de voltar a isso. Tudo é novo, novo, como uma chuva torrencial de eventos e não dou conta de reuni-los todos: fechei as mangas do meu unif com as palmas das mãos, e apesar de tudo o balde todo derramou e algumas gotas caíram nestas páginas...

Primeiro ouvi vozes altas atrás da minha porta e reconheci a voz dela, de I, flexível, metálica, e outra quase monótona, rígida como uma régua de madeira: era a voz de Iu. Em seguida, a porta se abriu com um estalido, e as duas dispararam para dentro do meu quarto. Exatamente isso: dispararam.

I pousou a mão no espaldar da minha poltrona e sobre o ombro direito sorriu para Iu com todos os dentes. Eu não queria ficar na direção daquele sorriso.

– Escute – disse-me I –, essa mulher parece ter como objetivo defender você de mim, como se você fosse uma criancinha. Ela tem sua permissão?

E então, a outra, com as guelras trêmulas:

– Sim, ele é uma criança. Sim! É só por isso que ele não vê que você está com ele para... Tudo isso é apenas para, para... que tudo é uma farsa. Sim! E meu dever é...

Por um instante, vi no espelho a linha partida e trêmula das minhas sobrancelhas. Levantei num salto e, com dificuldade de conter o meu outro eu, o de punhos peludos e trêmulos, fazendo passar com dificuldade cada palavra por entre meus dentes, gritei-lhe na cara, bem nas guelras:

– Agora mesmo, fora! Agora!

As guelras inflaram-se vermelhas como tijolos, depois murcharam e se tornaram cinzentas. Ela abriu a boca para dizer alguma coisa e, sem dizer nada, fechou-a com um ruído e foi embora.

Corri para I:

– Não perdoarei, nunca irei me perdoar por isso! Ela se atreveu, com você? Você não pode pensar que eu penso que... que ela... Tudo isso porque ela quer registrar-se comigo, mas eu...

– Felizmente, ela não terá tempo de se registrar com você. Ainda que existissem milhares como ela: não importa. Eu sei que você confia não em milhares, mas somente em mim. Porque, de fato, depois de ontem, sou toda sua, até o fim, como você queria. Estou em suas mãos, você pode a qualquer momento...

– O que a qualquer momento? – e imediatamente compreendi o quê, o sangue brotou em minhas orelhas, nas bochechas e gritei: – Não diga isso, nunca mais fale disso! Você compreende que aquele era meu eu anterior, mas agora...

– Quem sabe... O homem é como um romance: até a última página não se sabe como vai terminar. Do contrário, não valeria a pena ler...

I acariciava minha cabeça. Eu não via seu rosto, mas podia ouvir em sua voz que ela olhava para algum lugar distante, os olhos presos numa nuvem, que navegava silenciosamente, devagar, quem sabe para onde...

De repente, ela me afastou com a mão, de maneira firme e suave, e disse:

– Escute: vim aqui lhe dizer que estes talvez sejam os últimos dias... Você sabe que hoje à noite estão cancelados todos os auditórios.

– Cancelados?

– Sim. Passei em frente e vi: nos edifícios dos auditórios preparam algo. Há mesas, médicos de branco.

– Mas o que é que isso significa?

– Não sei. Por enquanto ninguém sabe. E isso é o pior de tudo. Apenas sinto que ligaram a corrente, as faíscas se espalham, senão hoje, amanhã... Mas, talvez eles não consigam a tempo.

Há muito deixei de tentar entender quem são eles e quem somos nós. Não compreendo o que quero: que eles consigam ou não consigam. Apenas uma coisa é clara para mim: I está andando no limite, e num instante, a qualquer momento...

– Mas isso é uma loucura – eu disse. – Você contra o Estado Único. É a mesma coisa que tapar a boca do cano de uma arma com a mão e achar que é possível deter o tiro. É uma completa loucura!

Um sorriso:

– "É preciso que todos enlouqueçam, enlouqueçam o mais depressa possível." Alguém disse ontem à noite. Você se lembra? Lá...

Sim, tenho isso anotado. Portanto, havia realmente acontecido. Permaneci em silêncio, contemplei seu rosto: nele havia uma cruz escura extraordinariamente nítida.

– Querida I, antes que seja tarde... Se quiser, eu abandono tudo, esqueço tudo e vou contigo para lá, para o outro lado do Muro, com aqueles... não sei quem são eles.

Ela balançou a cabeça. Através das janelas escuras dos seus olhos, lá, dentro dela, vi uma lareira ardente, faíscas, línguas de fogo subiam, um amontoado de lenha seca. E ficou claro para mim que já era tarde, minhas palavras não podiam fazer mais nada...

Ela se levantou – estava para ir embora. Talvez estes fossem os últimos dias, talvez até os últimos minutos... Agarrei-a pela mão.

– Não! Mais um pouco, pelo bem do... pelo bem do...

Lentamente ela levantou minha mão em direção à luz, minha mão peluda que eu tanto odiava. Eu queria puxá-la, mas ela a segurava com firmeza.

– Sua mão... Você realmente não sabe, e poucos sabem que as mulheres daqui, da cidade, amavam aqueles do outro lado. É possível que você tenha algumas gotas do sangue ensolarado da floresta. Talvez seja por isso que eu também...

Pausa. Que estranho: meu coração batia muito depressa por causa dessa pausa, desse vazio, desse nada. E gritei:

– Ah! Você não vai embora ainda! Não vai embora até me contar sobre eles, por que você os... ama, e eu nem sei quem são eles, de onde eles são. Quem são eles? A metade que perdemos? H_2 e O, e para obter H_2O – rios, mares, cachoeiras, ondas, tempestades – as duas metades devem ser unidas...

Lembro-me precisamente de cada um de seus movimentos. Lembro-me que ela pegou um triângulo de vidro de cima da minha mesa e, durante todo o tempo em que eu falava, apertava a ponta contra sua bochecha. E nela apareceu uma marca branca, depois ficou rosada e desapareceu. É surpreendente, não consigo recordar suas palavras – principalmente o início –, mas apenas algumas imagens e cores isoladas.

Eu sei que o início era sobre a Guerra dos Duzentos Anos. E então: vermelho na grama verde, no barro escuro, na neve azul, poças vermelhas que não secavam. Em seguida, a grama amarela queimada pelo sol, pessoas amarelas e nuas desgrenhadas, cachorros desgrenhados – perto, ao lado de cadáveres inchados de cachorros ou, talvez, de pessoas... Isso, é claro, foi além dos Muros: porque a cidade já havia vencido e o nosso atual alimento à base de petróleo já existia.

Do céu, quase até o chão, pesadas pregas escuras balançando: colunas de fumaça sobre as florestas, sobre os povoados. Um uivo seco: fileiras sem fim eram conduzidas até a cidade para serem salvas à força e aprenderem a felicidade.

– Você sabia de quase tudo isso?

– Sim, quase tudo.

– Mas você não sabia, e poucos sabiam, que uma pequena parte deles conseguiu se salvar e passou a viver lá, fora dos Muros. Nus, eles foram embora para a floresta. Aprenderam com as árvores, as bestas, os pássaros, as flores, o sol. Adquiriram mais pelos, mas sob esse pelo conservaram o sangue vermelho, quente. Para vocês foi pior: criaram as cifras, que se arrastam por vocês como piolhos. É necessário livrá-los de tudo e expulsá-los nus para a floresta. Deixar que aprendam a tremer de medo, de felicidade, de raiva, de frio, e rezar pelo fogo. E nós, Mefi, nós queremos...

– Não, espere, e "Mefi"? O que quer dizer "Mefi"?

– Mefi? É um nome antigo, é aquele que... Você se lembra: lá, na pedra, a imagem do jovem... Ou não: é melhor na sua língua, você entenderá mais rápido. Então, há duas forças no mundo: a entropia e a energia. Uma tende ao repouso beatífico, ao equilíbrio feliz; a outra tende à destruição do equilíbrio, ao doloroso movimento sem fim. A entropia, os nossos, ou melhor, os seus antepassados, os cristãos, adoravam-na como a um Deus. E nós, os anticristãos, nós...

E naquele momento, um murmúrio quase inaudível, uma batida na porta, e saltou para dentro do quarto aquele mesmo homem achatado, com a testa enterrada nos olhos, que mais de uma vez trouxera para mim os bilhetes de I.

Ele veio correndo em nossa direção e parou resfolegando como uma bomba de ar, não conseguia dizer uma palavra: é possível que tenha corrido depressa demais.

– Mas então! O que aconteceu? – I agarrou-o pelo braço.

– Estão vindo para cá... – a bomba finalmente ofegou. – Os Guardiõ... e com eles aquele que... parece um corcunda...

– S?

– Sim, sim! Estão perto, no prédio. Estarão aqui a qualquer momento. Rápido, rápido!

– Bobagem! Temos tempo... – ela riu, faíscas nos olhos com línguas de fogo.

Ou era uma coragem absurda e imprudente, ou algo que eu ainda não havia compreendido.

– I, pelo Benfeitor! Você tem que entender, isso é...

– Pelo Benfeitor – o triângulo pontiagudo, um sorriso.

– Então... então por mim... Eu te peço.

– Ah, ainda preciso tratar de um assunto com você... Mas, não importa: amanhã...

Com alegria (sim, com alegria) ela acenou para mim; o outro também acenou, aparecendo por um instante sob o toldo formado pela sua testa. E fiquei só.

Depressa, para a mesa. Abri minhas notas, peguei a pena para que eles me encontrassem trabalhando em benefício do Estado Único. De repente, cada fio de cabelo da minha cabeça estava vivo; isolados, moviam-se: "E se eles apanharem e lerem mesmo que seja uma das últimas páginas?".

Fiquei sentado à mesa, sem me mover, vi como tremiam as paredes, a pena em minha mão, as letras trepidavam e se misturavam...

Devo esconder? Mas onde? Tudo é de vidro. Queimar? Mas eles me veriam do corredor e das habitações vizinhas. E depois, já não posso, não tenho forças para destruir este doloroso e, talvez, mais precioso pedaço de mim mesmo.

Ao longe, no corredor, já se ouviam vozes e passos. Tive tempo apenas de agarrar um maço de folhas e metê-lo embaixo de mim. Eu estava pregado à poltrona que oscilava com cada um de seus átomos, e sob meus pés, era como o convés de um navio, para cima, para baixo...

Encolhido como uma bolinha, escondido sob o toldo da minha testa, de alguma maneira, de soslaio, observei sorrateiro: eles iam de quarto em quarto, iniciando no final direito do corredor e chegando cada vez mais perto. Alguns ficavam sentados e petrificados, como eu; outros se levantavam de um salto ao encontro deles e escancaravam a porta – números felizes! Se eu também...

"O Benfeitor é indispensável para o aperfeiçoamento da desinfecção humana, e, em consequência, não existe nenhum movimento peristáltico no organismo do Estado Único..." Com a pena aos pulos, extraí esse completo disparate e me inclinei mais sobre a mesa, em minha cabeça havia uma enlouquecida forja. Às minhas costas, ouvi a maçaneta da porta, o vento soprou, a poltrona pôs-se a dançar sob mim...

Só então, com dificuldade, desprendi-me da página e me virei para os que haviam entrado (como é difícil interpretar uma farsa... Ah, quem me falou hoje sobre a farsa?). S entrou na frente, sombrio, calado, com os olhos perfurando poços em mim, em minha poltrona, nas folhas que estremeciam sob a minha mão. Em seguida, por um momento, alguns rostos familiares, cotidianos, no umbral da porta, e dentre eles um se destacou, guelras castanho-rosadas infladas...

Recordei tudo o que acontecera neste quarto meia hora atrás e ficou claro para mim o que ela faria naquele instante... Todo o meu ser batia e pulsava naquela (felizmente não transparente) parte do meu corpo, em que eu havia escondido o manuscrito.

Iu aproximou-se por trás dele, de S, tocou-o cuidadosamente pela manga e disse em voz baixa:

– Este é D-503, o Construtor da "Integral". Você já deve ter ouvido falar dele. Ele sempre está assim, atrás da mesa... Não se dá nenhum descanso!

... Eu o quê? Que mulher admirável, surpreendente.

S começou a deslizar em minha direção, inclinou-se sobre o meu ombro, acima da mesa. Cobri o que acabara de escrever com o cotovelo, mas ele gritou severamente:

– Solicito que me mostre o que tem aí imediatamente!

Ardendo de vergonha, entreguei a ele o pedaço de papel. Ele leu, e eu vi um sorriso escapar de seus olhos, escorrer pelo rosto e, depois de mover um pouco sua pequena cauda, assentar-se em algum lugar no canto direito da boca.

– Um pouco ambíguo, mesmo assim... Bem, continue: não vamos mais incomodá-lo.

Ele chapinhou até a porta como um remo na água, e, a cada um de seus passos, meus pés, mãos, dedos voltavam a mim, minha alma novamente distribuía-se pelo meu corpo uniformemente, respirava...

Por último: Iu se deteve no meu quarto, aproximou-se de mim, inclinou-se e sussurrou no meu ouvido:

– Sorte sua que eu...

Incompreensível: o que ela quis dizer com isso?

À noite, mais tarde, soube que eles levaram três números consigo. Aliás, sobre isso, como sobre todo o resto que acontecia, ninguém falava (uma influência educativa dos Guardiões, invisivelmente presentes entre nós). As conversas giravam principalmente em torno da rápida queda do barômetro e da mudança do tempo.

29ª ANOTAÇÃO

Resumo:

Fios no rosto. Brotos. Compressão antinatural.

Estranho: o barômetro está caindo, mas ainda não há vento, apenas silêncio. Lá no alto, já havia começado uma tempestade, mas ainda era inaudível para nós. As nuvens passavam a toda pressa. Ainda eram poucas, fragmentos isolados e irregulares. Era como se alguma cidade lá em cima estivesse sendo destruída, e pedaços de paredes e torres voassem para baixo, crescendo diante dos meus olhos com uma velocidade terrível, chegando cada vez mais perto. Mas ainda teriam que voar por mais alguns dias pelo azul infinito antes de nos atingirem aqui embaixo, no fundo.

Reinava o silêncio aqui embaixo. No ar havia fios finos, incompreensíveis, quase invisíveis, que eram trazidos de lá, do outro lado do Muro, a cada outono. Flutuam lentamente, e, de súbito, você sente alguma coisa estranha e invisível no seu rosto, quer tirá-la, mas não, não consegue, não há como se livrar...

Há muitos desses fios, especialmente ao longo do Muro Verde, onde eu caminhava hoje pela manhã: I havia me designado para encontrá-la na Casa Antiga, naquele nosso "apartamento".

Eu já estava próximo à enorme massa da Casa Antiga quando ouvi atrás de mim os passos curtos e apressados de alguém, a respiração rápida. Olhei para trás: O vinha me alcançando.

Ela toda parecia um tanto especial, perfeita e firmemente arredondada. Os braços, as taças dos seus seios – e todo o seu corpo – que me eram tão familia-res, haviam se tornado arredondados, esticando o seu unif: o material fino se romperia a qualquer instante, deixando-a exposta ao sol, à luz. Uma imagem me veio à mente: lá, na mata verde, na primavera, com a mesma obstinação os brotos se abrem através da terra e logo crescem ramos, folhas, flores.

Ela permaneceu em silêncio por alguns segundos, com o azul brilhante mirando meu rosto.

– Eu vi você naquele dia, no Dia da Unanimidade.

– Também vi você... – E imediatamente me lembrei dela, parada lá embaixo, na passagem estreita, contra a parede, cobrindo o ventre com os braços. Olhei sem querer para o seu ventre arredondado sob o unif.

Ela, evidentemente, notou isso, e se pôs toda arre-dondada e rosada, e um sorriso cor-de-rosa.

– Estou tão feliz, tão feliz... Eu estou completa, com-preende: estou transbordando. Caminho e não ouço nada ao redor, ouço apenas meu interior, dentro de mim...

Fiquei em silêncio. No meu rosto havia algo estranho, que me incomodava, e de maneira nenhuma pude me li-vrar daquilo. E súbito, inesperadamente, o azul brilhan-do ainda mais, ela pegou minha mão, e senti seus lábios nela... Foi a primeira vez na minha vida. Uma espécie de carinho antigo, que eu desconhecia até então, e a vergonha e a dor que ele causou foi tanta que eu (talvez até de modo grosseiro) tirei a mão.

– Escute, você perdeu a cabeça! E não apenas com isso, mas em geral... Por que você está tão feliz? Por acaso você esqueceu o que te espera? Se não agora, então, dentro de um, ou dois meses...

Sua alegria se apagou; todos os seus arredondados se envergaram e murcharam. E no meu coração surgiu uma compressão desagradável, até dolorosa, ligada ao sentimento de pena (o coração não é diferente de uma bomba ideal; compressão, contração – absorção de líquido – são um absurdo técnico; daí fica claro quão essencialmente absurdos, antinaturais e doentios são todos os "amores" e "penas" etc. que provocam tal compressão).

Silêncio. O Muro, de um verde turvo, estava à minha esquerda. A massa vermelho-escura estava à frente. E essas duas cores, somadas, trouxeram-me uma visão resultante, uma ideia brilhante, como me pareceu.

– Espere! Sei como salvar você. Livrarei você de ver seu próprio filho e depois morrer. Poderá amamentá-lo, poderá ver como ele cresce em seus braços, arredondar-se, amadurecer como um fruto...

Ela se pôs a tremer dos pés à cabeça, agarrou-se em mim.

– Você se lembra daquela mulher... Enfim, aquela de algum tempo atrás, no passeio... Pois bem, ela está aqui agora, na Casa Antiga. Vamos até ela e garanto que vou arranjar tudo imediatamente.

Já pude ver nós dois, eu e I, conduzindo-a pelos corredores: eu a vi lá, entre as flores, a grama, as folhas... Mas ela deu um passo para trás, as pontinhas rosadas de sua meia-lua estremeceram e se curvaram para baixo.

– Aquela, a outra? – ela disse.

– Quero dizer... – fiquei perturbado por alguma razão. – Bem, sim: ela mesma.

– E você quer que eu vá até ela e peça para... Não se atreva a me dizer isso nunca mais!

Curvada, ela rapidamente se afastou de mim. E, como se houvesse se esquecido de algo, ela se virou e gritou:

– Que eu morra, sim! Você não tem nada com isso, para você não dá tudo no mesmo?

Silêncio. Pedaços de torres e paredes azuis caíam lá de cima e, com uma terrível rapidez, cresciam diante dos meus olhos, mas ainda tinham horas, talvez dias, para voar pelo infinito. Os fios invisíveis flutuavam lentamente, instalando-se no meu rosto, e de nenhuma maneira pude sacudi-los, livrar-me deles.

Lentamente, dirigi-me à Casa Antiga. No coração, uma compressão absurda e dolorosa...

30ª ANOTAÇÃO

Resumo:

O último número. O erro de Galileu. Não seria melhor?

Segue a minha conversa com I ontem na Casa Antiga, entre o barulho multicolorido que abafava o movimento lógico do pensamento – cores vermelhas, verdes, amarelo-bronze, brancas, alaranjadas... O tempo todo sob o sorriso petrificado em mármore do antigo poeta de nariz arrebitado.

Reproduzirei essa conversa ao pé da letra porque me parece que há um significado enorme e determinante para o destino do Estado Único. E mais: para o destino do Universo. Além disso, vocês, meus leitores desconhecidos, talvez possam encontrar aqui alguma justificativa para o meu...

Sem nenhuma preparação, I despejou tudo em mim de uma só vez:

– Eu sei que depois de amanhã você fará o primeiro voo de teste da "Integral". Nesse dia nós a tomaremos em nossas mãos.

– Como? Depois de amanhã?

– Sim. Sente-se, não se preocupe. Não podemos perder nem um minuto. Entre as centenas de números detidos ontem, ao acaso, pelos Guardiões, há 12 Mefi. Se deixarmos dois ou três dias se passarem, eles serão mortos.

Permaneci em silêncio.

– Para observar o progresso do experimento, eles precisam enviar a você técnicos eletricistas, mecânicos, médicos e meteorologistas. E exatamente às 12h – lembre-se –, quando soar o sinal do almoço e todos forem ao refeitório, nós ficaremos no corredor e trancaremos todos no refeitório, e a "Integral" será nossa... Você compreende: isso precisa ser feito a qualquer custo. A "Integral" em nossas mãos será uma arma que nos ajudará a pôr um fim em tudo de uma vez, rápido e sem dor. Os aeros deles... Ah! Serão apenas mosquitos insignificantes contra um falcão. E depois, se for inevitável, poderemos apontar para baixo o escape dos motores e apenas terão o trabalho de...

Sobressaltei-me:

– Isso é inconcebível! Um absurdo! Por acaso não está claro que o que você está começando é uma revolução?

– Sim, uma revolução! Por que isso é absurdo?

– É um absurdo porque uma revolução não é possível. Porque a nossa (eu é que digo e não você), a nossa revolução foi a última. E não é possível haver outras revoluções. Todo mundo sabe disso...

Um zombeteiro triângulo pontiagudo de sobrancelhas:

– Meu querido: você é um matemático. Inclusive mais do que isso: um filósofo da matemática. Então: fale-me sobre o último número.

– O que você quer dizer? Eu... Eu não entendo: que último?

– Bem, o último, o mais elevado, o maior.

– Mas, I, isso é um completo absurdo. Os números são infinitos, que último número é esse que você quer?

– E que última revolução é essa que você quer? Não há última, as revoluções são infinitas. Último é para as crianças: o infinito as assusta, e é imprescindível que as crianças durmam tranquilamente à noite...

– Mas qual é o sentido, qual é o sentido de tudo isso, pelo Benfeitor? Qual é o sentido, uma vez que já somos todos felizes?

– Suponhamos... Então está bem: que seja assim. O que vem depois?

– Que piada! Uma pergunta completamente infantil. Conte alguma coisa às crianças, do início ao fim, e certamente vão perguntar: e depois? Por quê?

– As crianças são os únicos filósofos valentes. E filósofos valentes são necessariamente crianças. E é exatamente assim, como as crianças, devemos sempre perguntar: e depois?

– Não há nada depois! Ponto-final. Por todo o universo, uniformemente, distribuído por todas as partes...

– A-ha! Uniformemente, em todas as partes! E aqui está a mesma entropia, a entropia psicológica. Para você, para um matemático, talvez não esteja claro que é apenas na diferença, na diferença entre temperaturas, é apenas nos contrastes térmicos, é apenas neles que reside a vida. E se por toda parte, por todo universo, houvesse corpos de igual calor ou de igual frieza... Eles precisam colidir para obter fogo, explosão, geena.* E nós os faremos colidir.

– Mas I, entenda, entenda: nossos antepassados fizeram exatamente isso na época da Guerra dos Duzentos Anos...

– Oh, e eles estavam certos, mil vezes certos. Eles cometeram apenas um erro: posteriormente, acreditaram que tinham o último número – o que não existe na natureza, não existe. O erro deles foi o erro de Galileu: ele estava certo de que a Terra gira ao redor do Sol, mas não sabia que todo o Sistema Solar se move ao redor de um centro, não sabia que a real, e não relativa, órbita da Terra, não é de forma alguma um círculo ingênuo...

– E vocês?

– Nós, por enquanto, sabemos que não existe último número. Talvez esqueçamos. Não, talvez esqueçamos quando ficarmos velhos, como todos ficam velhos inevitavelmente. E então, também inevitavelmente cairemos como as folhas das árvores no outono, como depois de amanhã você... Não, não, querido, você não. Você está do nosso lado, você está do nosso lado!

Afogueada, num torvelinho, radiante, eu nunca a vira assim. Ela me abraçou com todo o corpo. Eu desapareci...

---

* Palavra de origem aramaica e hebraica que neste contexto se relaciona ao Inferno, Hades, Purgatório. [N. de T.]

Por fim, olhando-me de maneira sólida e firme nos olhos:

– Então se lembre bem: às 12h.

E eu disse:

– Sim, lembrarei.

Ela foi embora. Fiquei só entre a algazarra turbulenta e dissonante de azuis, vermelhos, verdes, amarelo-bronze, laranja...

Sim, às 12h... – e, de repente, tive o sentimento absurdo de que algo estranho havia se instalado no meu rosto, algo de que eu não podia me livrar de maneira alguma. De repente, era a manhã de ontem, Iu estava gritando na cara de I... Por quê? Que absurdo foi aquele?

Apressei-me em sair, chegar rápido em casa, em casa...

Em algum lugar atrás de mim, ouvi o grito estridente dos pássaros sobrevoando o Muro. E adiante, no sol poente – de luz cor de framboesa cristalizada –, os globos das cúpulas, as enormes e ardentes casas cúbicas, raios congelados no céu, o pináculo da Torre Acumuladora. E tudo isso, toda essa impecável beleza geométrica, eu mesmo, com minhas próprias mãos, devo... Será que não há alguma outra saída, outro caminho?

Passei por um auditório (não me lembro do número). Dentro, bancos estavam empilhados; no centro, as mesas estavam cobertas por lençóis de vidro branco como a neve; sobre o branco havia uma mancha de sangue rosado, de sol. Oculto por trás de tudo isso havia um misterioso, e por isso terrível, amanhã. É anormal que um ser pensante e capaz de ver tenha que viver entre irregularidades, incógnitas e Xs. É como se o vendassem e o obrigassem a andar tateando e tropeçando, e você sabe que em algum lugar bem perto há uma beirada, e mais um passo e de você apenas restará um pedaço achatado e disforme de carne. Por acaso, isso não é a mesma coisa?

... E se, sem esperar, eu me atirar de cabeça? Essa não seria a única maneira, a correta, de me desvencilhar de tudo de uma vez?

31ª ANOTAÇÃO

Resumo:

A grande operação. Perdoei tudo. Uma colisão de trens.

Estamos salvos! No último momento, quando parecia que não havia nada em que se agarrar, quando parecia que tudo estava acabado...

Era como se você houvesse subido os degraus que levam até a terrível Máquina do Benfeitor e, com um pesado retinido, fosse coberto pela Campânula de vidro, e pela última vez na vida, rapidamente devorasse com os olhos o céu azul...

E, de repente, tudo isso foi só um "sonho". O sol aparece rosado e alegre; e a parede, que alegria é passar a mão pela parede fria; o travesseiro, é um deleite sem fim a marca deixada pela sua cabeça no travesseiro branco...

Foi aproximadamente isso o que experimentei quando li hoje de manhã a Gazeta do Estado. Fora um sonho terrível e ele acabara. E eu, um covarde, incrédulo, já estava pensando em me matar. Estou envergonhado de ler agora as últimas linhas que escrevi ontem. Mas não importa: que fiquem assim, como uma memória das coisas inacreditáveis que poderiam acontecer e das que nunca... sim, nunca acontecerão!...

Na primeira página da Gazeta do Estado brilhava:

ALEGREM-SE,

Porquanto a partir de hoje vocês são perfeitos! Até o dia de hoje suas criações, mecanismos, eram mais perfeitos que vocês.

POR QUÊ?

Cada faísca de um dínamo é uma faísca de pura razão; cada movimento de um pistão é um silogismo imaculado. Mas será que essa mesma razão infalível não existe em vocês?

A filosofia dos guindastes, prensas e bombas é perfeita e clara como um círculo de compasso. Mas será a sua filosofia menos perfeita que um compasso?

A beleza do mecanismo está na imutabilidade e exatidão do ritmo, como um pêndulo. Mas vocês, criados desde a infância no sistema Taylor, não adquiriram a exatidão de um pêndulo?

E APENAS MAIS UMA COISA:

MECANISMOS NÃO TÊM IMAGINAÇÃO.

Alguma vez vocês viram na fisionomia do cilindro de uma bomba formar-se um sorriso distante, com ar estúpido de sonhador, enquanto trabalha? Alguma vez vocês ouviram os guindastes à noite, nas horas determinadas para o descanso, dar voltas inquietas e suspirando?

NÃO!

Tenham vergonha! Os Guardiões, com cada vez mais frequência, veem esses sorrisos e suspiros. E escondam os olhos, os historiadores do Estado Único pedem demissão para não registrar eventos tão vergonhosos.

Mas não é sua culpa, vocês estão doentes. O nome dessa doença é:

IMAGINAÇÃO.

É um verme que rói sua testa, deixando rugas negras. É uma febre que o intimida a correr cada vez mais distante, ainda que esse "distante" comece onde termina a felicidade. Essa é a última barricada no caminho para a felicidade.

Alegrem-se, ela já foi dinamitada.

O caminho está livre.

A última descoberta da Ciência do Estado: o centro da imaginação está num lamentável nódulo cerebral na região da Ponte de Varólio. Uma tripla cauterização nesse nódulo com raios-X e vocês estarão curados da imaginação.

PARA SEMPRE.

Vocês são perfeitos, vocês são como máquinas, o caminho para a felicidade está cem por cento livre. Apressem-se todos, velhos e jovens, apressem-se para se submeter à Grande Operação. Apressem-se para os auditórios onde se executa a Grande Operação. Viva a Grande Operação! Viva o Estado Único! Viva o Benfeitor!

... Se vocês houvessem lido tudo isso, não por meio de minhas anotações, semelhantes a algum antigo romance excêntrico, mas se tivessem nas mãos, como eu tenho, esta trêmula folha de jornal ainda cheirando à tinta, se como eu vocês soubessem que tudo isso é a mais pura realidade, senão de hoje, de amanhã... Vocês não sentiriam a mesma coisa que sinto agora? Não perderiam a cabeça como eu agora? Não correriam pela espinha e pelos braços essas terríveis e doces agulhas de gelo? Não se sentiriam como um gigante, um Atlas, que, se endireitando, certamente acertaria a cabeça no teto de vidro?

Peguei o telefone:

– I-330... Sim, sim: 330 – em seguida, engasgando, gritei: – Você está em casa, certo? Você leu? Você está lendo? Mas isso é, isso é... É maravilhoso!

– Sim... – um silêncio longo e sombrio. O fone zumbia quase inaudível, pensava em alguma coisa... – Preciso vê-lo hoje, sem falta. Sim, na minha casa após as 16h. Sem falta.

Querida! Tão querida! "Sem falta"... Eu senti que estava sorrindo e de maneira nenhuma conseguia parar. Eu carregaria esse sorriso pela rua como um lampião, no alto, sobre minha cabeça...

Lá fora, o vento me fustigava. Fazia redemoinhos, assobiava, açoitava. Mas apenas me fez mais alegre. Brade, uive, não importa: você não pode derrubar estas paredes agora. Sobre minha cabeça, as nuvens esvoaçantes de ferro desabando – que venham: não podem obscurecer o sol, pregamo-as para sempre no zênite, em fileira, nós, Josués, filhos de Num.

Na esquina, havia uma densa aglomeração de Josués, filhos de Num, com as testas coladas à parede de vidro. Lá dentro, havia uma pessoa deitada sobre a mesa de um branco ofuscante. Embaixo desse branco, vislumbrava-se o ângulo de uns pés descalços amarelados, médicos brancos debruçavam-se sobre a cabeceira, uma mão branca estendia para outra uma seringa cheia de algum líquido.

– E você, por que não entra? – perguntei a ninguém em particular, ou melhor, a todos.

– E você? – uma esfera virou-se para mim.

– Eu vou depois. Primeiro tenho que...

Afastei-me um pouco desconcertado. Eu realmente precisava vê-la primeiro, I. Mas por que "primeiro", não pude responder...

O hangar. A "Integral" brilhava, cintilava um azul de gelo. Na maquinaria, o dínamo zumbia docemente, repetindo sem fim a mesma palavra, como se fosse familiar, minha. Inclinei-me e acariciei o tubo longo e frio do motor. Querida... Tão, tão querida. Amanhã você ganhará vida, amanhã, pela primeira vez na sua existência, estremecerá pelo fogo abrasador das faíscas no seu ventre...

Com que olhos eu teria olhado para esse poderoso monstro de vidro se tudo houvesse permanecido como ontem? Se eu soubesse que amanhã às 12h eu a trairia... sim, trairia...

Com cuidado, um toque no meu cotovelo. Virei-me, o rosto do Segundo Construtor, plano como um prato.

– Você já sabe? – ele disse.

– O quê? A Operação? Pois, não é verdade? Como tudo, tudo de uma só vez...

– Não, não é isso: o voo experimental foi suspenso até depois de amanhã. Tudo por causa da Operação... Nos apressamos em vão, nos esforçamos...

"Tudo por causa da Operação"... Engraçado, que pessoa limitada. Não vê nada além do seu prato. Se ele soubesse que, se não fosse pela Operação, amanhã às 12h ele estaria trancado numa caixa de vidro, subindo e descendo pelas paredes...

Minha habitação, às 15h30. Entrei e vi Iu. Ela estava sentada atrás da minha mesa, com a mão direita, ossuda e firme, apoiando a bochecha direita. Ela devia estar esperando há bastante tempo porque, quando entrei, deu um salto ao meu encontro. Em sua bochecha ficou a marca dos cinco dedos.

Por um segundo, lembrei-me daquela manhã infeliz em que ela estava aqui mesmo, junto à mesa, ao lado de I, enfurecida... Mas foi apenas por um segundo, ela foi lavada imediatamente pelo sol de hoje. Assim acontece se o dia está claro e, ao entrar no cômodo, você acende o interruptor por distração: a lâmpada se acende, mas é como se ela não estivesse ali – tão ridícula, precária, desnecessária.

Sem pensar: estendi-lhe as mãos e perdoei tudo – ela agarrou minhas mãos e com força, espinhosa, apertou-as, e suas bochechas pendiam como adornos antigos, estremecendo de emoção. Ela disse:

– Estava esperando... só um minuto... só queria dizer como estou feliz, como estou contente por você!

Você compreende: amanhã, depois de amanhã, você estará completamente curado, você nascerá de novo...

Vi uma folha de papel na mesa – as duas últimas páginas das minhas notas de ontem: estavam no mesmo lugar, como eu as deixara à noite. Se ela visse o que escrevi ali... Aliás, não importa: agora é apenas história, agora isso está ridiculamente distante, como num binóculo invertido...

– Sim – eu disse – e sabe: agora mesmo eu andava pela avenida e havia uma pessoa na minha frente, e sua sombra se projetava no pavimento. E imaginem: a sombra brilhava. E acho, bem, tenho certeza, de que amanhã não haverá mais sombras, nem de uma pessoa, nem de uma coisa, o sol atravessará tudo...

Ela, com delicadeza e severidade:

– Você é um sonhador! Eu não permitiria que as minhas crianças na escola falassem assim...

E continuou falando sobre as crianças, como levara todas de uma só vez, em grupo, para a Operação, e como foram obrigados a amarrá-las... e que "é necessário o amor sem piedade, sim, sem piedade", e que ela, ao que parece, no final decidirá...

Ela ajustou o tecido cinza-azulado entre os joelhos, em silêncio e rapidamente, cobriu-me com um sorriso dos pés à cabeça e foi embora.

E, felizmente, hoje o sol ainda não havia parado, o sol corria, e já eram 16h. Bati na porta, o coração batendo...

– Entre!

Eu estava no chão, ao lado da sua poltrona, abraçando suas pernas, minha cabeça atirada para trás, olhando em seus olhos, alternando entre um e outro, e vendo-me, a cada olhada, num maravilhoso cativeiro...

E, do outro lado da parede, uma tempestade, as nuvens faziam-se cada vez mais ferrosas: que se façam! Na minha cabeça as palavras – apertadas, furiosas – transbordavam – e em voz alta eu voava junto com o sol para algum lugar... Não, agora já sabemos para onde, e havia planetas atrás de mim, planetas espalhando chamas e habitados por flores cantantes, de fogo; planetas mudos, azuis, em que pedras racionais se uniram numa sociedade organizada, planetas que alcançaram, como a nossa Terra, o ápice da felicidade cem por cento absoluta...

De repente, de cima:

– Você não acredita que o ápice é justamente a união das pedras numa sociedade?

Um triângulo mais e mais pontiagudo e obscuro:

– E a felicidade... Sério? Afinal, os desejos são torturantes, não é? E claro: a felicidade acontece quando não há mais desejos, nem mesmo um... Que erro, que preconceito ridículo de, até agora, colocarmos um sinal de mais diante da felicidade. Diante da felicidade absoluta, é claro, deveria haver um sinal de menos, o divino menos.

Lembro-me de murmurar perplexo:

– Menos absoluto, 273 °...

– Menos 273, exatamente. Um pouco frio, mas será que isso não é o que demonstra que estamos no ápice?

Como antes, há muito tempo, de alguma maneira ela falava como se fosse eu, por mim, desenvolvia meus pensamentos até o fim. Mas nisso havia algo tão terrível que não suportei e com esforço arranquei de dentro de mim um "não".

– Não – eu disse –, você... você está brincando...

Ela começou a rir alto, alto demais. Rapidamente, num segundo, ela riu até certo limite, tropeçou e caiu... Pausa.

Levantou-se. Colocou a mão no meu ombro. E me encarou demorada e lentamente. Depois, me puxou para si, e não havia mais nada, apenas seus afiados e quentes lábios.

– Adeus!

Isso veio de longe, de cima, e demorou a me atingir, talvez um ou dois minutos.

– Como assim, "adeus"?

– Você está doente, cometeu crimes por mim, isso não é uma tortura para você? E agora existe a Operação, e você vai se curar de mim. Isso é um adeus.

– Não – gritei.

Um triângulo implacável, agudo e escuro no branco:

– Como? Você não quer ser feliz?

Minha cabeça se rachava, dois trens da lógica colidiram, subiram um no outro, destroçaram-se, partiram-se...

– Bem, então o que vai ser, estou esperando, escolha: a Operação e a felicidade cem por cento, ou...

"Não posso sem você, não devo sem você" – eu disse ou pensei ter dito, não sei, mas I ouviu.

– Sim, eu sei – ela me respondeu. E então, ainda me segurando pelos ombros e sem deixar meus olhos: – Bem, até amanhã. Amanhã, às 12h: você se lembra?

– Não. Foi adiado por um dia... Depois de amanhã...

– Para nós é ainda melhor. Às 12h, depois de amanhã...

Caminhava sozinho pela rua na luz do crepúsculo. O vento me girava, carregava-me, perseguia-me como um papel, pedaços do céu férreo voavam pelo céu, voavam pelo infinito, teriam mais um dia ou dois voando... Os unifs pelo caminho esbarravam em mim, mas eu caminhava sozinho. Para mim estava claro: todos estavam salvos, mas para mim não havia mais salvação, eu não queria a salvação...

32ª ANOTAÇÃO

Resumo:

Não acredito. Tratores. Uma lasca humana.

Vocês acreditam que vão morrer? Sim, o homem é mortal, eu sou um homem, logo... Não, não é isso: eu sei que vocês sabem disso. Estou perguntando: alguma vez vocês acreditaram nisso, acreditaram definitivamente, acreditaram não com a mente, mas com o corpo, sentiram que um dia os dedos que seguram esta mesma página ficarão amarelos, gelados...?

Não: certamente não acreditam, e é por isso que até agora vocês não saltaram do décimo andar, é por isso que até agora vocês continuam comendo, virando a página, barbeando-se, sorrindo, escrevendo...

A mesma coisa, sim, exatamente a mesma coisa está se passando comigo hoje. Sei que esse pequeno ponteiro negro no meu relógio desliza em direção à meia-noite e voltará a subir lentamente, passará pelo último traço e chegará o amanhã improvável. Eu sei disso, mas por alguma razão não acredito, ou talvez, porque estas 24 horas parecem passar como 24 anos. E é por isso que eu ainda consigo fazer alguma coisa, apressar-me até algum lugar, responder perguntas e subir a escada que leva ao topo da "Integral". Ainda sinto como ela balança na água, e percebo que é necessário agarrar-me ao corrimão, o vidro é frio sob as mãos. Vejo como os guindastes são vívidos e transparentes, curvando os pescoços de grou, esticando os bicos e alimentando com cuidado e carinho o motor da "Integral" com o assustador alimento explosivo. Embaixo, no rio, vejo claramente as veias e os nódulos azuis hidráulicos inflarem com o vento. Mas tudo isso era completamente apartado de mim, alheio, plano, como um desenho numa folha de papel. E, de maneira estranha, o desenho do rosto achatado do Segundo Construtor de repente falou:

– Bem, então: quanto combustível colocaremos no motor? Se calcularmos que são três... bem, três horas e meia...

Diante de mim – no projeto, no desenho – o contador na minha mão, o mostrador logarítmico, a cifra 15.

– Quinze toneladas. Mas é melhor colocar... sim, coloquemos cem...

Disse isso porque, afinal, eu sabia que amanhã...

De soslaio, vi que de maneira quase imperceptível minha mão com o mostrador começara a tremer.

– Cem? Mas para que essa quantidade tão grande? Isso é suficiente para uma semana. Que uma semana, mais!

– Não importa... quem sabe...

– Eu sei...

O vento assobiava, o ar estava completamente carregado até o topo com alguma coisa invisível. Eu respirava com dificuldade, andava com dificuldade, e com dificuldade, lentamente, sem parar nem por um segundo, o ponteiro do relógio deslizava na Torre Acumuladora, no final da avenida. O pináculo da Torre estava nas nuvens, apagado, azulado, e soltava um uivo surdo ao sugar a eletricidade. Também uivavam as trombetas da Fábrica Musical.

Como sempre, estávamos em filas de quatro pessoas. Mas as filas pareciam pouco compactas, talvez por causa do vento elas oscilassem, curvassem-se cada vez mais. Na esquina, chocamo-nos com alguma coisa, retrocedemos num denso, imóvel aglomerado, com a respiração acelerada, e imediatamente todos esticaram os longos pescoços de ganso.

– Olhem! Não, olhem ali, rápido!

– Eles! São eles!

–... Mas eu, de jeito nenhum! De jeito nenhum, é melhor enfiar a cabeça na Máquina...

– Silêncio! Você está louco...

Na esquina, no auditório, a porta estava escancarada, e de lá saía uma lenta e pesada coluna de cinquenta pessoas. Pensando bem, "pessoas" não é o correto: não tinham pés, mas umas rodas forjadas e pesadas, movidas por acionamento invisível; não eram pessoas, mas algum tipo de tratores humanoides. Sobre as cabeças, carregavam uma bandeira branca balançando ao vento com um sol dourado bordado e, nos raios, a inscrição: "Nós somos os primeiros! Já fomos operados! Sigam-nos todos!".

De maneira lenta e impetuosa eles atravessaram a multidão e, claramente, se houvesse no caminho deles uma parede, uma árvore, um prédio, de forma alguma eles parariam – atravessariam a parede, a árvore, o prédio. Eles já estavam no centro da avenida. Unidos pelas mãos, esticavam-se numa corrente, vindo de frente para nós. E nós, tensos, com as cabeças eriçadas, esperávamos. Os pescoços de ganso esticados. Nuvens. O vento assobiava.

De repente, os flancos da corrente, à direita e à esquerda, rapidamente começaram a se curvar em nossa direção, cada vez mais rápido, como uma máquina pesada sob uma montanha, comprimiram-nos num anel em direção à porta, para dentro das portas...

Alguém soltou um grito estridente:

– Estão nos empurrando para dentro! Corram!

Todos saíram correndo. Perto da parede ainda restara uma abertura estreita no anel vivo, e todos se atiraram para lá com as cabeças na frente, cabeças momentaneamente afiadas como cunhas e cotovelos, costelas, ombros, quadris pontiagudos. Como um jato de água comprimido de uma mangueira de incêndio, espalharam-se ao redor em forma de leque batendo os pés, sacudindo os braços, os unifs. Em algum lugar, por um instante, vi de relance um corpo duplamente encurvado, como a letra S, com orelhas como asas transparentes. E então desapareceu, como que tragado pela terra, fiquei só entre efêmeros braços e pernas, corri...

Parei para descansar um pouco em alguma entrada, as costas coladas firmemente na porta e, em seguida, algo veio a mim, como o vento, e uma pequena lasca humana cravou-se em mim.

– O tempo todo eu... vim atrás de você... Não quero, compreende, não quero. Eu concordo...

Mãos pequenas e arredondadas na minha manga, olhos azuis arredondados: era ela, era O. Ela pareceu deslizar pela parede e sentou-se no chão. Encolheu-se como uma bolinha, nos degraus frios, e eu fiquei sobre ela, acariciando sua cabeça, seu rosto, minhas mãos ficaram molhadas. Senti-me como se eu fosse muito grande e ela bem pequena, uma pequena parte de mim mesmo. Foi absolutamente diferente do que com I, e, naquele momento, imaginei que devia ser algo semelhante ao que os antigos sentiam em relação às suas crianças particulares.

Embaixo, através das mãos que cobriam seu rosto, quase inaudível:

– Todas as noites eu... Eu não posso, se eles me curarem... Todas as noites, sozinha, na escuridão, penso nele, em como ele será, como irei... Não terei nada pelo que viver, você entende? Você precisa, você precisa...

Um sentimento absurdo, mas de fato estava certo: sim, eu precisava. Absurdo porque esse meu dever era mais um crime. Absurdo porque o branco não pode ser preto ao mesmo tempo, dever e crime não podem coincidir. Ou na vida não há nem preto, nem branco, e a cor depende apenas de uma premissa lógica fundamental. E se a premissa foi a de que dei a ela um filho ilegalmente...

– Pois, tudo bem, não precisa, não precisa... – disse eu. – Você compreende que tenho que levá-la até I, como propus antes, para que ela...

– Sim... (falou baixo, sem tirar as mãos do rosto).

Ajudei-a a se levantar. Em silêncio, cada um com seus pensamentos, ou, talvez, pensando na mesma coisa, prosseguimos pela rua que escurecia, entre casas mudas, cor de chumbo, por galhos cheios que o vento açoitava...

Em algum ponto transparente e tenso, em meio ao assobio do vento, ouvi atrás de nós passos familiares, chapinhando como se atravessassem uma poça de água. Na esquina, olhei ao redor e, entre as nuvens invertidas que voavam refletidas no vidro pálido do pavimento, vi S. Imediatamente, meus braços se tornaram estranhos, balançando fora de ritmo, e falei alto para O que amanhã... Sim, amanhã aconteceria o primeiro voo da "Integral", e seria algo absolutamente sem precedentes, miraculoso, espantoso.

O ficou surpresa, olhou para mim com os olhos redondos e azuis, para o meu ruidoso e sem sentido balançar de braços. Mas não a deixei dizer nenhuma palavra, eu falava sem parar. E dentro de mim, isolado – audível apenas para mim –, martelava e zumbia febrilmente o pensamento: "Não devo... é necessário de alguma maneira... Não devo levá-lo conosco até I...".

Ao invés de virar à esquerda, virei à direita. A ponte oferecia, obediente e servil, suas costas arqueadas a nós três: eu, O e S, atrás. As luzes dos prédios iluminados do outro lado da margem derramavam-se na água, rompendo-se em milhares de faíscas que saltitavam febrilmente, salpicadas de uma espuma branca e furiosa. O vento uivava, como se em algum ponto não muito alto houvesse uma corda de contrabaixo esticada. E, por entre o som do contrabaixo, continuava nos seguindo...

O prédio onde moro. Na porta, O se deteve, começou a dizer algo:

– Não! Você me prometeu...

Mas não a deixei terminar, empurrei a porta depressa e entramos no vestíbulo. Sobre a mesa do supervisor, bochechas caídas e familiares estremeciam de agitação; ao redor – um grupo denso de números – havia alguma discussão. Cabeças penduradas no segundo andar por cima da balaustrada desciam correndo, uma a uma. Mas voltarei a isso depois, depois... Naquele momento, apressei-me em levar O para o canto oposto, sentei-me de costas para a parede (ali, atrás da parede, vi a sombra escura de uma cabeça grande deslizar para frente e para trás na calçada), saquei meu bloco de notas.

O lentamente sentou-se numa cadeira, e parecia que, sob o seu unif, o corpo havia se evaporado, derretido, e apenas restara uma roupa vazia e olhos vazios, que sugavam para um vácuo azul. Cansada:

– Por que você me trouxe aqui? Você me enganou?

– Não... silêncio! Olhe ali: vê atrás da parede?

– Sim. Uma sombra.

– Ele esteve o tempo todo atrás de mim... Eu não posso. Entenda que eu não devo. Escrevo duas palavras, você vai pegar o bilhete e ir sozinha. Sei que ele ficará aqui.

Sob o seu unif, um corpo roliço de novo pôs-se em movimento, seu ventre se arredondou e nas bochechas, quase imperceptível, um amanhecer, uma aurora.

Coloquei o bilhete entre os seus dedos frios, apertei sua mão com força e pela última vez meus olhos encheram-se do azul dos olhos dela.

– Adeus! Talvez algum dia...

Ela retirou a mão. Curvada, pôs-se a caminho devagar, deu dois passos, virou-se rapidamente e de novo estava ao meu lado. Os lábios se moviam, e, com os olhos, com os lábios, com ela inteira, repetiam a mesma palavra várias e várias vezes para mim; e que sorriso insuportável, que dor...

Depois, aquela lasca humana curvada apareceu na porta, uma minúscula sombra atrás da mesa, sem olhar para trás, depressa, mais depressa...

Aproximei-me da pequena mesa de Iu. Com as guelras agitadas, indignadas e infladas, ela disse para mim:

– Você compreende, é como se todos estivessem loucos! Este aqui garante que ele mesmo viu perto da Casa Antiga um tipo de pessoa nua e coberta de pelos...

Do amontoado de pessoas, uma cabeça eriçada do grupo, uma voz:

– Sim! Mais uma vez, repito que vi sim.

– Bem, como você gosta disso, não é? Quanta insanidade!

E esse "insanidade" ela disse com tanta segurança e inflexibilidade que me perguntei: "Não seria realmente uma insanidade tudo isso que vem se passando comigo e ao meu redor nos últimos tempos?".

Mas lancei um olhar para as minhas mãos peludas e lembrei-me: "Você provavelmente tem algumas gotas de sangue da floresta... Talvez seja por isso que eu também te...".

Não: felizmente, não era uma insanidade. Não: infelizmente, não era uma insanidade.

33ª ANOTAÇÃO

Resumo:

(Sem resumo, às pressas, a última.)

O dia havia chegado.

Rapidamente peguei o jornal: talvez ali... Li o jornal com os olhos (exatamente: naquele momento meus olhos eram como uma pena, como um contador que você segura, sente nas mãos, são alheios, são um instrumento).

Ali, em letras garrafais, por toda a primeira página:

OS INIMIGOS DA FELICIDADE NÃO DORMEM. AGARREM-SE À FELICIDADE COM AS DUAS MÃOS! AMANHÃ O TRABALHO SERÁ SUSPENSO E TODOS OS NÚMEROS DEVEM COMPARECER À OPERAÇÃO. OS QUE NÃO COMPARECEREM ESTARÃO SUJEITOS À MÁQUINA DO BENFEITOR.

Amanhã! Por acaso pode ainda haver algum amanhã?

Pela inércia cotidiana, estendi a mão (instrumento) até a estante de livros, coloquei o jornal de hoje junto com os demais numa encadernação dourada. E no caminho:

"Por quê? Isso importa? Aqui, a esse quarto, eu nunca mais, nunca..."

E o jornal cai no chão. E fico em pé olhando tudo em volta, todo o cômodo, recolho apressado e enfio febrilmente numa mala invisível tudo aquilo que tenho pena de deixar para trás. A mesa. Os livros. A poltrona. Uma vez I se sentara nela, enquanto eu estava embaixo, no chão... A cama...

Depois, por um ou dois minutos, esperei ridiculamente por algum milagre, talvez o telefone tocasse, talvez ela dissesse para...

Não. Nenhum milagre.

Vou embora para o desconhecido. Essas são minhas últimas linhas. Adeus a vocês, desconhecidos, vocês, queridos, com quem vivi por tantas páginas, a quem eu, doente da alma, mostrei tudo sobre mim, até o último parafusinho solto, até a última mola quebrada...

Vou embora...

34ª ANOTAÇÃO

Resumo:

Os libertos. Noite ensolarada. Rádio Valquíria.

Oh, se eu realmente tivesse me destruído em mil pedaços, se eu, realmente, junto com ela, me encontrasse em algum lugar fora do Muro, entre as feras com as presas amarelas à mostra, se eu realmente nunca tivesse voltado aqui. Teria sido mil vezes, milhões de vezes mais fácil. E agora o quê? Sair e estrangular aquela... Mas isso ajudaria em alguma coisa?

Não, não, não! Controle-se, D-503. Coloque-se no firme eixo da lógica, ainda que seja por pouco tempo, empurre a alavanca com todas as suas forças e, como um antigo servo, mova as mós do silogismo. Enquanto não escrever, sua cabeça não racionalizará tudo o que aconteceu.

Quando entrei a bordo da "Integral", todos já estavam reunidos, em seus lugares, todos os gigantescos favos da colmeia de vidro estavam cheios. E através do convés de vidro: lá embaixo, pessoas minúsculas como formigas junto aos telégrafos, dínamos, transformadores, altímetros, válvulas, ponteiros, motores, bombas, tubos. Na cabine de refeições, alguns números estavam debruçados sobre tabelas e instrumentos, provavelmente faziam parte de uma missão enviada pelo Departamento de Ciência. Ao lado deles, o Segundo Construtor com dois de seus assistentes.

Os três tinham cabeças como de tartarugas, enterradas nos ombros, os rostos cinzentos, de outono, sem brilho.

– Bem, e então? – perguntei.

– Bem... É um pouco assustador... – um deles disse, com um sorriso cinzento, sem brilho. – Talvez tenhamos que aterrissar num local desconhecido. Em geral, não há como saber...

Era insuportável olhar para eles, para aqueles que eu, com minhas próprias mãos, dentro de uma hora privarei para sempre das confortáveis cifras da Tábua das Horas, arrancarei do seio maternal do Estado Único. Eles me recordaram as trágicas figuras dos "Três libertos", uma história que qualquer criança de escola conhece. É uma história sobre como três números, na qualidade de experimento, foram liberados do trabalho por um mês: para fazer o que quisessem, ir aonde quisessem.* Os infelizes perambulavam próximo ao local habitual de trabalho, espreitando-o com olhos famintos; ficavam nas praças e, por horas a fio, executavam aqueles movimentos que eram determinados pela hora do dia e que haviam se convertido numa necessidade do organismo: serravam e aplainavam o ar, brandiam martelos invisíveis e golpeavam lingotes invisíveis. E, finalmente, no décimo dia, não suportaram mais: de mãos dadas, entraram na água sob o som da Marcha e submergiram cada vez mais fundo, até que a água afogou seus tormentos...

---

* Isso foi há muito tempo, ainda no século III, após a criação das Tábuas. [N. do A.]

Repito: era difícil observá-los. Apressei-me para partir.

– Vou apenas verificar a sala das máquinas – eu disse –, depois partiremos.

Perguntavam-me sobre qual voltagem utilizar para a detonação do lançamento, o quanto de água para o lastro na cisterna da popa. Havia um tipo de gramofone dentro de mim: ele respondia a todas as questões com rapidez e precisão sem interromper o que se passava no meu interior.

E, de repente, num corredorzinho estreito, algo me acertou, dentro de mim, e naquele momento, de fato, tudo começou.

Nesse estreito corredorzinho passaram rapidamente unifs cinza, rostos cinza, e entre eles, num instante: um deles tinha o cabelo puxado para baixo, os olhos sob a fronte – aquele mesmo homem. Compreendi que eles estavam aqui, e não havia para onde fugir, restavam apenas poucos minutos, algumas dezenas de minutos... Um minúsculo tremor molecular atravessou todo o meu corpo (e não cessou até que tudo estivesse acabado) como se fosse gerado por um enorme motor, mas a edificação do meu corpo era leve demais e, então, todas as paredes, divisórias, cabos, vigas e luzes puseram-se a tremer...

Ainda não sabia se ela estava ali. Mas não havia mais tempo, vieram atrás de mim para me apressar a voltar para cima, para a cabine de comando: era hora de partir... Para onde?

Rostos cinzentos e sem brilho. Cabos azuis e tensos embaixo, na água. O céu em pesadas camadas de ferro. Levantei a mão, também de ferro, peguei o telefone de comando.

– Para cima, 45°!

Uma explosão surda, um impulso, uma montanha de água branco-esverdeada na popa – o convés se movia sob os nossos pés –, suave, de borracha – e tudo embaixo, toda a vida, para sempre... Durante um segundo, afundávamos mais profundamente, como numa espécie de funil, tudo ao redor diminuía – o relevo azulado de gelo do recorte da cidade, as pequenas bolhas arredondadas das cúpulas, o solitário dedo plúmbeo da Torre Acumuladora. Depois, atravessamos uma cortina de nuvens instantâneas de algodão – e então o sol, o céu azul. Segundos, minutos, milhas – o azul endureceu rapidamente, encheu-se de escuridão, e as estrelas surgiram como gotas de suor frio e prateado...

Em seguida, uma noite assombrosa, intoleravelmente brilhante, escura, estrelada e ensolarada. Era como se tornar surdo de repente: você ainda vê os tubos roncando, mas apenas os vê: os tubos estão mudos, em silêncio. Assim era o sol: mudo.

Tudo isso era natural, o que devíamos esperar. Saímos da atmosfera terrestre. Mas foi tudo tão rápido, inesperado, e todos ao redor ficaram assustados, silenciosos. E para mim – para mim, parecia que tudo era mais fácil sob esse sol fantástico e mudo: era como se eu me encolhesse pela última vez e já tivesse cruzado um umbral inevitável, e meu corpo foi deixado em algum lugar lá embaixo, enquanto eu voava para um mundo novo, onde tudo devia ser diferente, de cabeça para baixo...

– Mantenha o curso – eu gritei para a sala das máquinas; ou não fui eu, mas aquele gramofone dentro de mim, que, com seu braço mecânico articulado, passou o receptor de comando para o Segundo Construtor. E eu, envolto por finíssimas moléculas que só eu ouvia tremer, corri para baixo, para procurar...

A porta da cabine de refeições, a mesma que dentro de uma hora irá ressoar e se fechar... Perto da porta havia alguém que eu não conhecia, baixinho, tinha o rosto de centenas, de milhares que se perdem na multidão, apenas os braços eram anormalmente longos, até os joelhos: como se, por engano, às pressas, houvesse pegado os braços de outro conjunto humano.

Os braços longos se esticaram obstruindo a passagem:

– Aonde vai?

Ficou claro que ele não sabia que eu estava a par de tudo. Pois bem, talvez deva ser assim. E de cima, de maneira ríspida e proposital:

– Eu sou o Construtor da "Integral". Sou o responsável pelo experimento. Entendeu?

Os braços baixaram.

A cabine de refeições. Sobre os instrumentos e mapas, cabeças circundadas por uma cabeleira cinzenta, cabeças amarelas, calvas, maduras. Dei uma rápida olhada neles, voltei pelo corredor, desci a escada do alçapão para a sala das máquinas. Lá dentro: o calor e o estrépito dos canos incandescentes com as detonações, manivelas brilhando numa desesperada e ébria *prisiadka**, e, sem parar por um segundo, o tremor quase imperceptível dos ponteiros dos mostradores...

E, então, finalmente, próximo ao tacômetro, estava ele, com a testa projetada sobre um livro de notas...

– Escute... (Um estrondo: era necessário gritar direto nos ouvidos.) Ela está aqui? Onde?

Na sombra, sob a fronte, um sorriso:

– Ela? Lá, na sala de radiotelefonia...

E eu me dirigi para lá. Havia três deles. Todos em capacetes auditivos alados. E ela parecia ter a cabeça mais alta do que nunca, alada, brilhante, voando como as antigas Valquírias. Parecia que acima dela, na antena de rádio, saíam enormes faíscas azuis, e também um leve odor relampejante de ozônio.

– Alguém... não, melhor que seja você... – eu disse a ela, sem fôlego (por causa da corrida). – Preciso trans-

---

* Passo de dança tradicional russa, que consiste na alternância entre as pernas esticadas e dobradas, com o dançarino na posição agachada. [N. de T.]

mitir para baixo, para a Terra, no hangar... Venha, eu ditarei...

Ao lado da sala de instrumentos havia uma pequena cabine. Sentamos à mesa, lado a lado. Encontrei sua mão e apertei-a com força:

– E então? O que vai acontecer?

– Não sei. Você compreende que isso é maravilhoso: voar sem saber, não importa para onde... E logo serão 12h, e quem sabe o que vai acontecer? À noite... onde estaremos à noite, nós dois? Talvez na grama, nas folhas secas...

Faíscas azuis e um cheiro de relâmpago emanavam dela, e meu tremor ficava cada vez mais rápido.

– Escreva – eu disse alto e ainda sem fôlego (da corrida). – Horário: 11h30. Velocidade: 6.800...

Ela, sob o capacete alado, sem tirar os olhos do papel, disse baixinho:

–... Ontem à noite ela veio me procurar com o seu bilhete... E sei, eu sei de tudo: fique quieto. Mas o bebê é mesmo seu? Eu a enviei, ela já está lá, fora do Muro. Ela viverá...

De volta à sala de comando. Novamente: a noite delirante com o céu negro estrelado e o sol ofuscante, o ponteiro do relógio na parede lentamente mancava de um minuto a outro; e tudo parecia nebuloso, vestido finamente por um tremor quase imperceptível (exceto para mim).

Por alguma razão, pareceu-me que era melhor que tudo se passasse não aqui, mas em algum lugar mais baixo, mais próximo à Terra.

– Pare – gritei para a máquina.

Tudo prosseguia, pela inércia, mas cada vez mais lentamente. A "Integral" prendeu-se por um fio de segundo, ficou suspensa e imóvel por um momento. Em seguida, o fio se partiu, e a "Integral" caiu como uma pedra, numa velocidade crescente. Permanecemos em silêncio por uns minutos, dezenas, minha pulsação era audível, o ponteiro aproximava-se das 12h diante dos meus olhos. E ficou claro: eu era uma pedra, I era a Terra, eu era uma pedra atirada por alguém e tinha a necessidade insuportável de se chocar com a Terra e se fazer em mil pedaços... E se... abaixo já era visível a densa e azulada fumaça das nuvens... e se...

Mas o gramofone dentro de mim, articulado e preciso, pegou o fone e comandou "curso lento" – e a pedra parou de cair. E então, apenas os quatro auxiliares inferiores – dois na popa e dois na proa – repousaram para neutralizar o peso da "Integral", e a nave, com um leve tremor, parou no ar, firme, como numa âncora, a cerca de um quilômetro da Terra.

Saímos todos para o convés (eram quase 12h, soaria o toque do almoço) e, inclinados sobre a amurada de vidro, apressadamente, tragamos de uma vez o mundo desconhecido, lá embaixo, fora do Muro. Âmbar, verde e azul: a floresta outonal, as planícies, um lago. Na beirada desse pequeno pires azul havia alguma coisa amarelada, ruínas de ossos, um dedo ressecado amarelo e ameaçador, devia ser a torre de uma antiga igreja que, por milagre, sobreviveu.

– Olhem, Olhem! Lá, à direita!

Lá, no deserto verde, uma mancha com uma sombra marrom voava com rapidez. Eu tinha um binóculo nas mãos, mecanicamente levei-o aos olhos: uma manada de cavalos castanhos galopava com a vegetação na altura do peito, os rabos levantados, no dorso, levavam aqueles seres castanhos, brancos, negros como um corcel...

Atrás de mim:

– Estou lhe dizendo: vi um rosto.

– Vá, conte essa para outra pessoa!

– Bem, tome, tome os binóculos...

Mas já haviam desaparecido. O deserto verde sem fim...

O tremor estridente da campainha invadiu esse deserto, a mim e a todos os outros: o almoço seria dentro de um minuto, 12h.

O mundo foi momentaneamente disperso em fragmentos desconexos. A placa dourada de alguém caiu nos degraus e ressoou, mas não dei importância: quebrei-a com o calcanhar. Uma voz: "Estou lhe dizendo que era um rosto!". Um quadrado escuro: a porta aberta da cabine de refeições. Dentes brancos cerrados, pontiagudos num sorriso...

E, naquele momento, quando o relógio começou a bater infinita e lentamente, sem respirar entre uma batida e outra, e as primeiras filas já se punham em movimento, o quadrado da porta, de repente, foi cruzado por dois braços familiares, pouco naturais e longos:

– Parem!

Dedos se cravaram na palma da minha mão. Era I, era ela ao meu lado:

– Quem é? Você o conhece?

– Será... por acaso não é...

Ele subiu nos ombros de alguém. Acima de centenas de rostos – seu rosto, como o de centenas, milhares, e único entre todos eles:

– Em nome dos Guardiões... Vocês, a quem me dirijo, me ouvem, cada um de vocês me ouve, digo a vocês: nós sabemos. Não sabemos ainda seus números, porém, sabemos de tudo. A "Integral" não será de vocês! O teste será levado a cabo, não se atrevam a se mover, vocês irão concluí-lo com suas próprias mãos. E depois... bom, isso é tudo...

Silêncio. A laje de vidro sob meus pés ficou mole, como de algodão, e minhas pernas também ficaram moles, de algodão. Ela, ao lado, com um sorriso inteiramente branco, com faíscas raivosas azuladas. Entre dentes, no meu ouvido:

– Foi você? Você "cumpriu o seu dever"? Bem, o que...

Ela tirou a mão da minha. Com raiva, o capacete alado da Valquíria afastou-se para algum lugar lá na frente.

Eu estava sozinho, petrificado, calado, como todos os outros. Dirigi-me para a cabine de refeições...

"Mas não fui eu, não fui eu! Não falei com ninguém sobre isso, além daquelas páginas brancas e mudas..." Dentro de mim – inaudível, desesperadamente, alto – gritei isso a ela. Ela se sentou do lado oposto da mesa, e não pousou o olhar em mim uma vez sequer. Ao lado dela, a careca amarelo-madura de alguém. Eu pude ouvir (era I):

– "Nobreza"? Mas, meu caro professor, até mesmo uma simples análise filológica dessa palavra demonstra que ela é um preconceito, uma reminiscência dos antigos, da época feudal. E nós...

Senti que estava empalidecendo e todos veriam... Mas o gramofone dentro de mim executou os cinquenta movimentos mastigatórios prefixados a cada mordida. Fechei-me em mim mesmo como uma antiga casa não transparente, atravanquei a porta com pedras, tapei as janelas...

Mais tarde, o telefone de comando estava em minhas mãos, e o voo rumo à última e fria tristeza, entre as nuvens, rumo à noite gelada, estrelada e ensolarada. Minutos, horas. E, evidentemente, dentro de mim o motor silencioso da lógica trabalhava febrilmente o tempo todo, porque, de repente, num ponto, no espaço azul: vi minha escrivaninha, atrás dela as bochechas em forma de guelras de Iu, uma página esquecida das minhas notas. E ficou claro: ninguém, a não ser ela, tudo ficou claro...

Ah, ao menos se... ao menos se eu pudesse chegar ao rádio... Os capacetes alados, o cheiro de relâmpagos azuis... Lembro-me de ter dito alguma coisa em voz alta para ela e lembro-me dela, olhando através de mim, como se eu fosse de vidro, de longe:

– Estou ocupada: recebo lá de baixo. Dite a ela...

Na minúscula cabine, depois de pensar por um minuto, ditei com firmeza:

– Hora: 14h40. Descendo! Desligar motores. É o fim de tudo.

A sala de comando. O coração mecânico da "Integral" havia parado. Nós caíamos, e meu coração não teve tempo de cair junto, desprendeu-se e subia para a minha garganta. Nuvens, em seguida uma mancha verde ao longe, ficando mais verde, mais distinta, um turbilhão movendo-se velozmente em nossa direção, o fim se aproximava...

O deformado rosto do Segundo Construtor, branco como louça. Provavelmente foi ele quem me empurrou com toda a força. Bati a cabeça contra alguma coisa, e tudo ficou escuro enquanto eu caía. Nebulosamente, ouvi:

– Motores de popa, a toda velocidade!

Um solavanco brusco para cima... Não me lembro de mais nada.

35ª ANOTAÇÃO

Resumo:

Num aro. Uma cenoura. Um assassinato.

Não dormi a noite toda. A noite toda pensando numa coisa...

Depois de ontem, a minha cabeça foi firmemente presa com ataduras. E parecia que não eram bandagens, mas um aro; um cruel aro de vidro e aço preso na minha cabeça, e eu me encontrava preso no mesmo tipo de círculo forjado: matar Iu. Matar Iu e depois procurar I e dizer-lhe: "Agora você acredita?". O mais repugnante é que matar é algo sujo, antigo; partir os miolos de alguém trazia a sensação estranha de algo detestavelmente doce na boca. Eu não conseguia engolir minha saliva, o tempo todo tinha que cuspir num lenço, minha boca estava seca.

No armário, havia uma pesada biela de pistão que se quebrara após a fundição (eu precisava examinar a ruptura na estrutura pelo microscópio). Enrolei minhas anotações num tubo (que ela leia tudo, até a última letra), enfiei dentro de uma parte do pistão e desci. A escada era interminável, os degraus, repugnantes e escorregadios, líquidos, o tempo todo eu secava a boca com o lenço...

Embaixo. Meu coração palpitava. Parei, saquei a biela e fui até a mesinha de controle...

Mas Iu não estava lá: a superfície gelada estava vazia. Lembrei-me: hoje todos os trabalhos foram suspensos; todos deviam comparecer à Operação, e fazia sentido: não havia por que ela estar ali, ninguém para registrar...

Na rua. Vento. Um céu de lajes de ferro fundido flutuando. E, como se fosse um certo momento de ontem: o mundo todo se quebrando em pedaços pontiagudos e independentes, e, caindo depressa, cada um deles parava por um segundo, pendurados no ar diante de mim, evaporando-se então sem deixar rastros.

Era como se as letras negras e precisas desta página de repente se movessem e num susto se espalhassem por toda parte, e não restasse nenhuma palavra, apenas algo absurdo: sust – palh – part. Na rua a multidão estava dispersa, não estavam em filas, iam para frente, para trás, para o lado, de través.

E já não havia ninguém. E, por um segundo, algo passou correndo a toda pressa e parou, imóvel: lá, no segundo andar, num quadrado de vidro, pendurado no ar, um homem e uma mulher beijavam-se em pé, o corpo dela curvado para trás como se fosse quebrar. Foi a última vez, para sempre...

Em alguma esquina, uma moita de cabeças espinhosas se movia. Sobre as cabeças – separada, como no ar –, uma bandeira com as palavras: "Abaixo as Máquinas! Abaixo a Operação!". E separado (de mim) –, pensei por um segundo: "Será que cada um possui tamanha dor que só possa ser arrancada de dentro de si junto com o coração, e que todos precisem fazer algo antes que...". E, por um segundo, não existia nada no mundo, além das (minhas) mãos de fera com um cilindro pesado de ferro fundido...

Então: um menininho, todo ele para frente, uma sombra sob o lábio inferior. Ele estava torcido como o punho de uma manga enrolada, todo o seu rosto estava torcido, e ele berrava, fugindo de alguém o mais rápido que podia, um ruído de passos atrás dele...

O menininho me lembrou: "Sim, Iu deve estar na escola agora, preciso me apressar". Corri para a entrada da via subterrânea mais próxima.

Na porta, correndo, alguém:

– Não estão andando! Os trens hoje não estão funcionando! Lá...

Desci. Lá estava um delírio absoluto. O brilho de facetados sóis de cristal. A plataforma cheia de cabeças apinhadas. Um trem imóvel e vazio.

No silêncio, uma voz. Era dela, não estava visível, mas eu conhecia, eu conhecia aquela voz que açoitava, ágil e flexível como um chicote – e em algum ponto, aquele triângulo pontiagudo de sobrancelhas até as têmporas... E gritei:

– Deixem-me passar! Deixem-me ir até lá! Eu preciso...

Mas as pinças de alguém me aprisionaram pelos braços, pelos ombros, como pregos. E, no silêncio, uma voz:

–... Não: corram para cima! Lá eles os curarão, os alimentarão até vocês se fartarem da felicidade rica, e, saciados, vocês dormirão em paz, de maneira organizada, no ritmo, roncando. Será que vocês não ouvem essa grandiosa sinfonia de roncos? Eles são ridículos: querem libertar vocês das interrogações tortuosas que, como vermes, roem dolorosamente. Mas vocês estão aqui me ouvindo. Rápido, para cima, para a Grande Operação! Que importa a vocês que eu fique aqui sozinha? Que importa a vocês que eu não queira que os outros queiram por mim, mas quero querer por mim mesma, se quero o impossível...?

Outra voz, lenta e pesada:

– A-ha! O impossível? Isso quer dizer perseguir as suas fantasias idiotas, enquanto eles balançam o rabo diante do seu nariz. Não: pegaremos esse rabo e o esmagaremos, depois...

– E então, engulam e ronquem, precisarão de novos rabos diante do nariz. Dizem que os antigos tinham um animal: o burro. Para obrigá-lo a andar para frente, sempre para frente, amarravam uma cenoura numa vara diante do seu focinho, de maneira que ele não pudesse pegar. E se pegasse e engolisse...

De repente, as pinças me soltaram. Corri em direção ao centro onde ela falava, e naquele momento todos se precipitaram, amontoaram-se, ouviu-se um grito vindo de trás: "Para cá, eles estão vindo para cá!". Uma luz surgiu e se apagou – alguém havia cortado os cabos, uma avalanche, gritos, estertor, cabeças, dedos...

Não sei quanto tempo corremos pelos túneis subterrâneos. Finalmente: degraus, crepúsculo, mais claridade, e nos encontrávamos de novo na rua, como um leque, indo para lados diferentes...

E então fiquei só. Ventava, um crepúsculo cinzento, baixo, logo acima da minha cabeça. Bem fundo, no vidro úmido da calçada, luzes refletidas, paredes, figuras se movendo com os pés para cima. O pacote incrivelmente pesado que eu levava nas mãos me puxava para baixo, para as profundezas.

Embaixo, Iu ainda não estava atrás de sua mesa, a sua habitação estava vazia e escura.

Subi para meu quarto, acendi as luzes. Minhas têmporas latejavam, comprimidas pelo arco, eu andava pelo quarto e parecia que tudo estava preso naquele mesmo círculo: a mesa, o pacote branco sobre ela, a cama, a porta, a mesa, o pacote branco... No quarto à esquerda, as cortinas estavam fechadas. À direita: uma careca cheia de protuberâncias debruçada sobre um livro, e na testa uma enorme parábola amarela. Suas rugas formavam uma série de linhas amareladas incompreensíveis. Às vezes, nossos olhos se encontravam, e então senti que aquelas linhas amarelas falavam a respeito de mim.

... Aconteceu exatamente às 21h. A própria Iu veio até mim. Apenas uma coisa ficou vivamente marcada em minha memória: eu respirava tão alto que, quando ouvi minha respiração, tentei silenciá-la de alguma maneira, mas não consegui.

Ela se sentou, arrumou o unif nos joelhos. As guelras rosadas e marrons agitavam-se.

– Ah, querido, é verdade, você está ferido? Acabei de saber, agora mesmo...

A biela estava diante de mim, sobre a mesa. Levantei-me bruscamente, a respiração ficou ainda mais alta. Ela ouviu, parou na metade da palavra e, por alguma razão, também se levantou. Eu já podia ver o lugar em sua cabeça, sentia uma detestável doçura na boca... o lenço, mas eu estava sem o lenço. Cuspi no chão.

O número atrás da parede, à direita, as rugas amarelas fixas em mim. Ele não deve ver, será mais repugnante se ele vir... Apertei o botão –, não fazia diferença não ter permissão, já não importava mais – as cortinas se fecharam.

Ela, é evidente, sentiu, compreendeu e correu para a porta. Mas eu me adiantei, respirando ruidosamente, nem por um segundo tirei os olhos daquele local na sua cabeça...

– Você... você ficou louco! Não se atreva... – Ela recuou de costas, sentou-se, ou melhor, caiu na cama e, tremendo, escondeu as palmas das mãos entre os joelhos. Como uma mola tensa, prendendo-a pelos olhos, estiquei lentamente o braço até a mesa e, movendo apenas uma mão, peguei a biela.

– Eu imploro! Um dia, apenas um dia! Amanhã, amanhã mesmo farei tudo...

Do que ela estava falando? Levantei...

Considero que a matei. Sim, vocês, meus leitores desconhecidos, vocês têm o direito de me chamar de assassino. Eu sei que desceria a biela na sua cabeça se ela não tivesse gritado:

– Pelo... pelo... Concordo, eu... farei agora.

Com as mãos trêmulas, ela arrancou o unif, o corpo amplo, amarelo e flácido tombou na cama... E só então eu compreendi: ela pensou que fechei as cortinas para... que eu queria...

Aquilo foi tão inesperado, tão tolo, que eu caí na gargalhada. Imediatamente, a mola tensa se rompeu, a mão fraquejou, a biela fez um estrondo no chão. Naquele momento, por experiência própria, vi que o riso é a arma mais terrível: o riso pode matar tudo, inclusive o assassinato.

Sentei à mesa e ri desesperadamente, como se fosse o último riso, e não consegui ver nenhuma saída para essa situação ridícula. Não sei como tudo isso teria terminado se prosseguisse seu curso natural, mas, de repente, um novo componente externo: o telefone começou a tocar.

Lancei-me na sua direção e peguei o fone: talvez fosse ela? Do outro lado, soou uma voz desconhecida:

– Agora.

Um zumbido penoso e sem fim. Ao longe, passos pesados, chegando mais perto, mais sonoros, mais metálicos, e então...

– D-503? Sim... aqui fala o Benfeitor. Venha até mim imediatamente!

Clic – o telefone desligou. – Clic.

Iu ainda estava deitada na cama com os olhos fechados, as guelras se abriram num sorriso largo. Removi suas roupas do chão, atirei nela, e entre dentes:

– Vamos! Se apresse, se apresse!

Ela se levantou um pouco, apoiando-se nos cotovelos, os seios espalhados para os lados, os olhos redondos, toda de cera.

– Como?

– Isso mesmo. Vamos, se vista!

Ela se dobrou num nó, agarrou-se às roupas com firmeza e disse, com a voz diminuída:

– Vire-se...

Virei-me, apoiei a testa no vidro. No espelho escuro e úmido tremiam luzes, figuras, faíscas. Não: era eu, dentro de mim... Por que Ele me chamara? Será que Ele já sabia sobre ela, sobre mim, sobre tudo?

Iu, já vestida, estava junto à porta. Dei dois passos até ela e apertei sua mão de tal maneira que era exatamente como se houvesse extraído as gotas do que eu precisava:

– Escute... O nome dela, você sabe de quem falo, você contou a alguém? Não? Apenas a verdade, eu preciso... Não importa, apenas a verdade...

– Não.

– Não? Mas por quê? Já que você foi até lá para informar...

Seu lábio inferior de repente virou do avesso, como o daquele menininho, e da bochecha escorriam gotas, pelas bochechas...

– Porque eu... eu tive medo que se ela fosse... que por causa disso você poderia... você deixaria de me am... Oh, não posso, eu não poderia!

Percebi que era verdade. Uma ridícula e engraçada verdade humana!

Abri a porta.

36ª ANOTAÇÃO

Resumo:

Páginas vazias. O Deus cristão. Sobre minha mãe.

É estranho, minha cabeça parecia uma página branca e vazia: como cheguei até lá, como esperei (sei que esperei), não me lembro de nada, nem de um único som, nem de um único rosto, nem de um único gesto. Era como se todos os fios que me conectam ao mundo houvessem sido cortados.

Quando retomei a consciência, eu já estava diante Dele, aterrorizado demais para levantar os olhos: vi apenas Suas enormes mãos de ferro fundido sobre os joelhos. Essas mãos pressionavam até dobrar-Lhe os joelhos. Lentamente, Ele moveu os dedos. O rosto estava em algum lugar em meio à neblina, no alto, e parecia que Sua voz, só porque chegava a mim de tal altura, não ribombava como um trovão, não me deixara surdo, mas parecia uma voz humana comum.

– Pois bem, você também? Você, o Construtor da "Integral"? Você, a quem foi concedido tornar-se um grande conquistador. Você, cujo nome deveria iniciar um capítulo novo e esplêndido na história do Estado Único... Você?

O sangue subiu-me à cabeça e às bochechas, de novo uma página em branco: apenas as têmporas pulsando, uma voz de cima, mas nenhuma palavra. Somente quando ele parou de falar, eu voltei a mim e vi: a mão se moveu com o peso de 100 pudes, deslizando lentamente, um dedo se fixou em minha direção.

– Então? Por que você se cala? Sou ou não sou? Sou um carrasco?

– É, sim – respondi, obediente. Em seguida, ouvi claramente cada uma de Suas palavras.

– O quê? Você acha que tenho medo dessa palavra? Alguma vez você tentou tirar sua casca e ver o que tem dentro? Vou lhe mostrar. Lembre-se: uma colina azul, uma cruz, uma multidão. Alguns, no alto, salpicados de sangue, pregam um corpo na cruz; embaixo, outros observam, salpicados de lágrimas. Não lhe parece que o papel dos que estão no alto é o mais difícil, o mais importante? Se não fosse por eles, seria possível realizar toda essa magnífica tragédia? Eles foram vaiados pela multidão ignorante: mas, por tudo isso, o autor dessa tragédia, Deus, devia tê-los recompensado ainda mais generosamente. O próprio Deus cristão e misericordioso queimava lentamente no fogo do inferno todos os insubmissos. Ele não é um carrasco? E não são menos os queimados pelos cristãos nas fogueiras do que os cristãos queimados? E, contudo, compreenda isso, contudo, esse Deus, ao longo dos séculos foi glorificado como o Deus do amor. Absurdo? Não, ao contrário: é uma permissão, escrita com sangue, do inerente juízo humano. Mesmo naquela época, os selvagens e desgrenhados compreendiam: o verdadeiro amor algébrico em relação à humanidade é a crueldade – um atributo indispensável da verdade. Assim como o fogo, seu verdadeiro atributo é queimar. Mostre-me um fogo que não queima! Então, justifique, discuta!

Como eu poderia discutir? Como eu poderia discutir quando esses eram meus pensamentos (anteriores), apenas nunca os revesti com uma armadura tão forjada e brilhante. Fiquei calado...

– Se isso significa que você está de acordo comigo, então vamos falar como adultos, quando as crianças já foram dormir: sobre tudo, até o fim. Pergunto: pelo que as pessoas, desde o berço, suplicavam, sonhavam, sofriam? Com alguém que de uma vez por todas lhes dissesse o que é a felicidade e depois as prendesse a essa felicidade com uma corrente... E o que fazemos agora, senão exatamente isso? Os antigos sonhavam com o Paraíso... Recorde que no Paraíso não se conhece o desejo, não se conhece a pena, não se conhece o amor. Nele existem apenas os bem-aventurados com a imaginação operada (é por isso que são bem-aventurados): os anjos, servos de Deus... E justamente nesse momento, quando já alcançamos esse sonho, quando o agarramos assim (Sua mão se fechou: se segurasse uma pedra, dela brotaria sumo), quando o que restou é apenas esfolar a presa e reparti-la em pedaços, nesse exato momento você, você...

O rumor do ferro fundido cessou de repente. Eu estava todo vermelho, como um lingote numa bigorna sendo golpeado por um martelo. O martelo estava suspenso sem dizer nada, esperar era ainda... mais aterroriz...

De repente:

– Quantos anos você tem?

– Trinta e dois.

– Você é duas vezes um ingênuo de dezesseis! Escute: será que realmente nenhuma vez lhe passou pela cabeça que eles – ainda não sabemos seus nomes, mas estamos certos de que saberemos por você – apenas precisaram de você como o Construtor da "Integral", apenas para através de você...

– Não! Não! – gritei.

... Era exatamente como proteger-se com as mãos e gritar para uma bala: você ainda pode ouvir o ridículo "não", enquanto a bala já o atravessou queimando e você está no chão se retorcendo.

Sim, sim: o Construtor da "Integral"... Sim, sim... e imediatamente: o rosto enfurecido de Iu, com as guelras vermelhas como tijolinhos tremendo naquela manhã, quando as duas estavam no meu quarto...

Lembro-me muito claramente: comecei a rir, levantei os olhos. Diante de mim estava sentado um homem careca, socraticamente careca, com pequenas gotas de suor escorrendo.

Como tudo era simples. Como tudo era majestosamente banal e ridiculamente simples.

O riso me sufocava, saía em turbilhões. Tapei a boca com as mãos e atirei-me correndo para fora.

Os degraus, o vento, a umidade, estilhaços de luzes pulando, rostos, e na corrida: "Não! Vê-la! Vê-la apenas mais uma vez!".

Então, de novo, uma página vazia, em branco. Lembro-me apenas: pés. Não de pessoas, mas especificamente de pés: pisavam fora de sintonia, centenas de pés que caíam de algum lugar no alto para o pavimento, uma pesada chuva de pés. Que canção alegre e travessa, e então um grito, que devia ser para mim: "Ei! Ei! Aqui, conosco!".

Em seguida, uma praça vazia tomada por um vento forte. No centro, uma massa enorme, opaca, pesada e terrível: a Máquina do Benfeitor. E dela ressoou um eco inesperado dentro de mim: um travesseiro de um branco vivo, nele, uma cabeça atirada para trás, olhos entreabertos: uma faixa de dentes doces e pontiagudos... E tudo isso de uma maneira absurda e terrivelmente conectada com a Máquina – eu sei como, mas ainda não quero ver, dizer em voz alta, não quero, não é preciso.

Fechei os olhos e me sentei nos degraus que levavam até a Máquina. Devia ter chovido: meu rosto estava molhado. Em alguma parte, ao longe, gritos abafados. Mas ninguém ouviu meus gritos: salve-me disso, salve-me!

Se eu tivesse tido uma mãe, como os antigos: minha – exatamente –, minha mãe. Para ela, eu não seria o Construtor da "Integral", nem o número D-503, nem uma molécula do Estado Único, mas simplesmente um fragmento de humanidade – um pedaço dela mesma –, pisoteado, esmagado, descartado... E que eu pregue ou seja pregado, talvez seja a mesma coisa – ela ouviria aquilo que ninguém mais ouve, seus lábios de velha contraídos e cheio de rugas...

37ª ANOTAÇÃO

Resumo:

O infusório. O fim do mundo. O quarto dela.

No refeitório, pela manhã, o vizinho da esquerda sussurrou, assustado:

– Vamos, coma! Estão observando você!

Sorri com todas as minhas forças. Senti um tipo de rachadura no meu rosto: sorri e as extremidades dessa rachadura romperam-se, cada vez mais largas, e ficava cada vez mais doloroso...

Em seguida: acabara de pegar um cubo com o garfo e esse imediatamente estremeceu na minha mão e retiniu no prato. Também as mesas, as paredes, a louça, o ar tremeram e retiniram e, do lado de fora, um estrondo enorme e metálico subiu até o céu, atravessou nossas cabeças, casas, para morrer ao longe, quase imperceptível, pequeno, como círculos na superfície da água.

Por um momento, vi rostos perderem a cor, desbotarem, bocas que se detiveram no meio do movimento, garfos parados no ar.

Seguiu-se uma grande confusão, tudo saiu dos trilhos seculares. Todos se levantaram num salto (sem haver cantado o Hino), terminando de mastigar negligentemente, sem ritmo, engasgando-se, agarrando uns aos outros: "O quê? O que aconteceu? O quê?". E como fragmentos desordenados de uma Máquina uma vez harmoniosa, todos foram para baixo, de elevador, de escada – passos, palavras cortadas, como uma carta em pedaços rasgada e jogada ao vento...

Também saíram aos montes dos prédios vizinhos, e num minuto a avenida ficou como uma gota de água num microscópio: infusórios presos numa gota de vidro transparente, confusos, lançando-se para o lado, para cima, para baixo.

– A-ha! – a voz triunfante de alguém. Diante de mim, uma nuca e um dedo apontando para cima. Lembro-me muito distintamente de uma unha amarelo-rosada e, na parte de baixo dessa unha, uma meia-lua branca, como que saindo do horizonte. Foi como um compasso: centenas de olhos, seguindo esse dedo, se voltaram para o céu.

Ali, fugindo de uma perseguição invisível, as nuvens voavam depressa, esmagavam-se, saltavam umas sobre as outras, e os aeros dos Guardiões tingidos pelas nuvens escuras, com seus tubos pretos que pendiam como trombas e, mais adiante, no oeste, havia algo parecido a...

A princípio, ninguém entendeu o que era aquilo, inclusive eu não entendi, a quem (infelizmente) havia sido revelado mais do que a todos os outros. Parecia-se com um imenso enxame de aeros negros: numa altura inacreditável, pontos velozes quase imperceptíveis. Cada vez mais próximos, do alto, gotas de sons roucos e guturais, e, finalmente, pássaros sobre as nossas cabeças preencheram o céu com triângulos pontiagudos, negros, estridentes, caindo, a tempestade os desviava para baixo, eles se assentavam nas cúpulas, nos telhados, nos postes, nas sacadas.

– A-ha! – virou-se triunfante o homem da nuca. Vi que era aquele de testa saliente. Mas agora, de seu antigo eu, restara apenas o título. De alguma maneira, ele saíra de sua eterna testa saliente e no seu rosto – ao redor dos olhos e dos lábios – feixes de luz cresciam como fios de cabelo. Ele sorria.

– Você compreende – gritou-me através do uivo do vento, do bater de asas e dos grasnidos. – Você compreende: o Muro, explodiram o Muro! Compreende?

De passagem, em algum lugar atrás, vultos apressados, as cabeças esticadas, correndo rápido para dentro das casas. No meio do pavimento, uma avalanche de recém-operados marchavam velozes e, mesmo assim, devagar (por causa do peso), para o oeste.

... Feixes de raios ao redor dos lábios e dos olhos. Agarrei-o pela mão:

– Escute: onde ela está, onde está I? Fora do Muro ou... Preciso saber, está ouvindo? Agora mesmo, não posso...

– Aqui – ele gritou-me, inebriado e alegre, tinha dentes fortes e amarelos... – Ela está aqui, na cidade, em ação. Oh, sim, estamos em ação!

Quem somos nós? Quem sou eu?

Próximo, havia uns cinquenta como ele, que rastejaram para fora de suas grandes testas obscuras, barulhentos, alegres, dentes fortes. Engoliam a tempestade com as bocas abertas, agitando um tipo de eletrocutores pacificadores, benignos (onde eles conseguiram?), eles se puseram na direção do oeste, atrás dos recém-operados, mas deram a volta paralelamente, pela Avenida 48...

Tropecei nos cabos esticados que o vento retorcia e corri até a casa dela. Para quê? Não sei. Tropecei pelas ruas vazias, uma estranha cidade selvagem, o incessante alarido triunfante dos pássaros, o fim do mundo. Através das paredes de vidro, em vários prédios vi (ficou gravado em mim): números masculinos e femininos copulando sem pudor, sem sequer fechar as cortinas, sem nenhum bilhete, em plena luz do dia...

Um edifício, o edifício dela. A porta perplexa estava escancarada. Embaixo, a mesa do supervisor: vazia. O elevador estava parado entre os andares. Sem fôlego, corri para cima, pelas escadas sem fim. O corredor. Rapidamente, como os raios de uma roda, as cifras nas portas: 320, 326, 330... I-330, sim!

Através da porta de vidro: o quarto inteiro estava bagunçado, revirado de cabeça para baixo, pisoteado. Uma cadeira derrubada na pressa, as quatro pernas para cima, como um animal morto. A cama fora arrancada da parede de uma maneira absurda e posta de viés. No chão havia talões cor-de-rosa espalhados e pisoteados como pétalas.

Inclinei-me e apanhei um, dois, três: em todos eles estava D-503, eu estava em todos, gotas de mim derretidas, espirrando pelas bordas. E isso era tudo o que restara...

Por alguma razão achei que eles não podiam ficar assim, pelo chão, onde seriam pisoteados. Peguei mais um punhado deles e coloquei na mesa, desamassei-os cuidadosamente, lancei um olhar e... comecei a rir.

Antes eu não sabia disso, agora sei, e vocês também sabem: o riso tem diferentes cores. É apenas o eco distante de uma explosão dentro de você: talvez sejam foguetes festivos, vermelhos, azuis, dourados, ou talvez pedaços do corpo humano lançado pelos ares...

Num dos talões apareceu um nome completamente desconhecido. Não me lembro da cifra, apenas da letra F. Derrubei todos os talões da mesa, pisoteei-os, e a mim, com os calcanhares – tome, tome isso – e saí...

Sentei-me no peitoril no corredor, do lado contrário à porta, ainda, tolamente, fiquei esperando por alguma coisa durante um longo tempo. À esquerda, ouvi passos se arrastando. Um velho: seu rosto era como uma bolha perfurada, vazia, na qual se instalaram rugas, e da perfuração ainda gotejava algo transparente, que escorria lentamente. Devagar, vagamente, percebi: eram lágrimas. E só quando o velho já estava longe, me dei conta e gritei-lhe:

– Escute, escute, você não conhece o número I-330...

O velho se virou, fez um gesto desesperado e prosseguiu mancando...

Retornei à minha casa no crepúsculo. No oeste, a cada segundo o céu se contraía num espasmo azul pálido, e de lá vinha um ruído seco e abafado. Os telhados estavam cobertos por negros tições apagados: eram os pássaros.

Deitei-me na cama, e imediatamente o sonho me dominou e estrangulou como uma fera...

38ª ANOTAÇÃO

Resumo:

(Não sei qual. Talvez todo o resumo seja este: um cigarro jogado fora.)

Despertei, uma luz brilhante fazia meus olhos doerem. Semicerrei-os. Na cabeça – um tipo de fumaça azulada e corrosiva, tudo era névoa. E por entre a névoa:

"Mas eu não acendi as luzes, como é que..."

Levantei-me bruscamente. Atrás da mesa, apoiando o queixo na mão, I olhava para mim com um sorriso malicioso...

Exatamente neste momento, escrevo nesta mesma mesa. Aqueles dez ou quinze minutos já se passaram, cruelmente retorcidos numa mola tensa. Para mim, parece que ela acabou de fechar a porta atrás de si, e que eu ainda posso alcançá-la, pegá-la pela mão e, talvez, ela riria e diria...

I estava sentada atrás da mesa. Corri para ela.

– Você, você! Eu estive... vi o seu quarto... pensei que você...

Mas no meio do caminho tropecei nas lanças pontiagudas e imóveis dos seus cílios. Parei. Lembrei-me de que ela me olhara da mesma maneira antes, na "Integral". E, naquele momento, num segundo, precisava explicar tudo a ela e fazê-la acreditar em mim, do contrário, nunca mais...

– Escute, I. Eu preciso... preciso contar tudo... Não, não, agora só preciso de um gole de água...

Minha boca estava seca como se estivesse revestida de papel mata-borrão. Derramei a água, mas não consegui: coloquei o copo na mesa e agarrei a jarra com força, com as duas mãos.

Naquele momento, eu vi que a fumaça azulada era de um cigarro. Ela o levou aos lábios, sorveu e tragou o fumo com avidez, da mesma maneira que eu fizera com a água, e disse:

– Não precisa. Fique calado. Não importa, você verá:

apesar de tudo eu vim. Eles me esperam lá embaixo. E você quer passar os nossos últimos minutos...

Ela jogou o cigarro no chão, inclinou-se completamente sobre o braço da poltrona (havia um botão na parede, e ela tinha dificuldade de alcançá-lo) – ficou gravado na minha memória como a poltrona se inclinou e seus pés ficaram suspensos. Em seguida as cortinas se fecharam.

Ela se aproximou e me abraçou com força. Seus joelhos através da roupa – lento, terno, cálido, o veneno envolvente...

E, de repente... Acontece às vezes: todo submerso num doce e cálido sonho e, de repente, alguma coisa fura você, você estremece, e de novo seus olhos estão totalmente abertos... E foi o que aconteceu: os talões cor-de-rosa pisoteados no chão do quarto dela, e num deles a letra F e alguma cifra... Entrelaçaram-se dentro de mim como num novelo, e agora não consigo dizer que sensação foi aquela, mas apertei-a com tanta força que ela gritou de dor...

Mais um minuto dos dez ou quinze que restavam: ela estava no travesseiro branco com a cabeça atirada para trás e os olhos semicerrados; a linha doce e pontiaguda dos seus dentes. E o tempo todo eu me lembrava de algo persistente, ridículo e doloroso que eu não podia, que agora não devia... Eu a apertava com cada vez mais ternura e crueldade, e as marcas azuis dos meus dedos ficavam mais vivas...

Ela disse (sem abrir os olhos, notei):

– Dizem que ontem você esteve com o Benfeitor. Isso é verdade?

– Sim, é verdade.

Então, os olhos se abriram amplamente, e com prazer. Contemplei seu rosto empalidecendo, apagando-se e sumindo: ficaram só os olhos.

Contei tudo a ela. Exceto – não sei por quê... não, não é verdade, eu sei o porquê – exceto uma coisa: o que Ele disse no final, sobre eles só precisarem de mim para...

Pouco a pouco, seu rosto reapareceu como uma fotografia no processo de revelação: as bochechas, as listras brancas de dentes, os lábios. Ela se levantou e se aproximou do espelho na porta do armário.

De novo minha boca estava seca. Enchi um copo de água, mas fiquei com nojo de bebê-la. Coloquei o copo na mesa e perguntei:

– É por isso que você veio, porque precisava saber?

Do espelho para mim: um triângulo pontiagudo e zombeteiro de sobrancelhas alçadas até as têmporas. Ela se virou para dizer alguma coisa, mas não disse nada.

Não era necessário. Eu sabia.

Despedir-me dela? Movimentei minhas pernas – alheias – e elas esbarraram na cadeira, que caiu com as pernas para cima, morta, como aquela no quarto dela. Os lábios dela estavam frios – tão frios como certa vez o chão daqui mesmo, do meu quarto, ao lado da cama.

Quando ela foi embora, sentei-me no chão, inclinei-me sobre o cigarro que ela havia jogado...

Não posso mais escrever, não quero mais!

39ª ANOTAÇÃO

Resumo:

O fim.

Tudo isso foi como o último grão de sal atirado numa solução saturada: rapidamente, espetando como agulha, os cristais começaram a se espalhar, solidificando-se, congelando. Para mim ficou claro: está tudo decidido, amanhã de manhã farei isso. É o mesmo que me matar, pois, talvez, só então ressuscitarei. Porque só o que está morto pode ressuscitar.

No oeste, a cada segundo o céu estremecia num espasmo azulado. Minha cabeça queimava e latejava. Assim passei a noite inteira e adormeci apenas às 7 da manhã, quando a escuridão já se dissipava e começava a ficar verde, e os telhados cobertos de pássaros tornavam-se visíveis...

Despertei: já eram 10 horas (obviamente a campainha não soara hoje). Na mesa ainda estava o copo de água de ontem. Engoli a água com avidez e saí correndo: eu precisava fazer tudo isso rápido, o mais rápido possível.

O céu estava vazio, azul, completamente devorado pela tempestade. Os cantos angulosos das sombras; tudo era recortado pelo ar azul outonal – fino – era assustador tocar: se quebrariam, se dissipariam num pó de vidro. E o mesmo se passava dentro de mim: eu não devo pensar, não preciso pensar, não preciso pensar, do contrário...

E não pensei. Inclusive, talvez, nem visse de verdade, mas simplesmente registrasse. Então, no pavimento, vindos de algum lugar: ramos de folhas verdes, âmbar e framboesa. No alto, pássaros e aeros entrecruzavam-se e revolviam-se. E aqui: cabeças, bocas abertas, mãos balançando ramos. Eles devem ter sido a fonte dessa gritaria, crocitos, zumbidos...

Depois, as ruas desertas, como se houvessem sido varridas por alguma peste. Lembro-me de tropeçar em alguma coisa insuportavelmente macia, flexível, porém imóvel. Inclinei-me: era um cadáver. Ele jazia de costas, com as pernas abertas e dobradas, como uma mulher. O rosto...

Reconheci os lábios grossos e negroides que ainda pareciam salpicar numa risada. Com os olhos severamente entreabertos, ele ria para mim, diretamente no meu rosto. Num segundo, saltei por cima dele e corri, porque já não suportava mais, precisava fazer tudo o mais rápido possível, caso contrário, senti que iria quebrar, envergar como um trilho sobrecarregado...

Felizmente, já faltavam só uns vinte passos até a placa de letras douradas: "Departamento dos Guardiões". Parei na soleira da porta, respirei fundo, o tanto quanto pude, e entrei.

Lá dentro, no corredor, havia uma fila interminável de números em pé, com pedaços de papel e cadernos grossos nas mãos. Lentamente, movia-se um passo, outro, e de novo parava.

Percorri a fila, minha cabeça se partia, eu os agarrava pelas mangas das roupas, implorava-lhes, como um doente implora para que lhe deem algo para pôr um fim definitivo ao seu sofrimento agudo.

Uma mulher usando um cinto alto e muito apertado no unif, os dois hemisférios ciáticos claramente acentuados movimentando-se de um lado para outro, o tempo todo, como se eles fossem, de fato, seus olhos, soltou uma risada na minha direção:

– Ele está com dor de barriga! Levem-no ao banheiro, lá, a segunda porta à direita...

Risadas na minha direção: e por causa delas algo me veio à garganta, precisava gritar ou... ou...

De repente, alguém atrás de mim me agarrou pelo cotovelo. Virei-me: orelhas como asas transparentes. Mas elas não estavam rosadas como de hábito, mas escarlates: no pescoço, seu pomo de adão saltava e de uma hora para outra romperia a fina pele do pescoço.

– Por que você está aqui? – ele perguntou, atarraxando-me rapidamente.

Também o agarrei pelo cotovelo:

– Rápido, para o seu escritório... Eu preciso contar tudo agora mesmo! É bom que tenha sido exatamente você... Talvez seja terrível que exatamente você, mas isso é bom, isso é bom...

Ele também a conhecia, e por isso era ainda mais doloroso, mas talvez ele também estremecesse quando ouvisse e matasse a nós dois, e não estarei sozinho nos meus últimos momentos...

A porta bateu. Lembro-me que um papel prendeu debaixo da porta, arranhando o chão enquanto ela se fechava. Depois, fomos cobertos por um silêncio vazio e singular, como uma Campânula. Se ele houvesse dito uma palavra, não importa qual, a palavra mais insignificante, eu teria despachado tudo de uma vez. Mas ele ficou em silêncio.

Eu estava tão tenso que meus ouvidos começaram a zumbir, eu disse (sem olhar para ele):

– Acredito que sempre a odiei desde o início. Lutei... E, aliás, não, não, não acredite em mim: eu podia ter me salvado, mas não quis fazê-lo, eu queria morrer, isso tinha mais valor para mim do que todo o resto... isto é, não morrer, mas que ela... E inclusive agora, inclusive agora, quando já sei de tudo... Você sabe que o Benfeitor me chamou?

– Sim, eu sei.

– Mas o que Ele disse para mim... compreenda-me: isso tudo não importa, é como se agora tivessem arrancado o chão de sob os seus pés, e você e tudo o que está aqui na sua mesa, o papel, a tinta... a tinta derramou e tudo está manchado...

– Prossiga, prossiga! E se apresse. Há outros esperando.

Então, resfolegando e me atrapalhando, contei tudo o que aconteceu, tudo o que está escrito aqui. Sobre o meu eu real, meu eu desgrenhado, aquilo que ela dissera então sobre as minhas mãos, sim, exatamente como tudo começou, e como eu não queria cumprir o meu dever, como me enganei, como ela me conseguiu falsos atestados médicos e como eu enferrujava dia após dia, os corredores lá embaixo, e fora do Muro...

Tudo isso em blocos sem sentido, em pedaços, eu estava sem fôlego, me faltavam palavras. Os lábios torcidos e duplamente encurvados com um sorriso davam-me as palavras necessárias – eu assentia agradecido: sim, sim... E então (o que significa isso?) ele começou a falar por mim, e eu apenas ouvia: "Sim, depois... Foi exatamente assim, sim, sim!".

Senti como se passassem éter em volta do meu pescoço, e ele começasse a congelar, e com dificuldade perguntei:

– Mas como é que... mas você não podia saber de onde...

Seu sorriso, em silêncio, mais irônico... E então:

– Sabe, você queria esconder algo de mim, você enumerou todos os que observou fora do Muro, mas se esqueceu de um. Você diz que não? Não se lembra de, fugazmente, por um segundo, você... ter me visto lá? Sim, sim: a mim.

Pausa.

E, de repente, como um raio, percebi, era vergonhosamente claro: ele também era um deles... E todo o meu ser, todo o meu sofrimento, tudo aquilo que, esgotado, com minhas últimas forças, trouxe para cá como uma vitória – tudo isso era simplesmente cômico, como a antiga anedota de Abraão e Isaac. Abraão, suando frio da cabeça aos pés, brandia a faca sobre seu filho, sobre si mesmo, e de repente uma voz vinda de cima: "Não vale a pena! Eu estava brincando...".

Sem tirar os olhos do seu sorrisinho cada vez mais irônico, apoiei minhas mãos na extremidade da mesa e, lentamente, lentamente, afastei a cadeira e, em seguida, ao mesmo tempo, abraçando-me por inteiro, saí correndo, passando por gritos, degraus, bocas.

Não me lembro de como fui parar lá embaixo, num dos banheiros públicos da estação subterrânea. Lá em cima tudo estava sendo destruído, a mais grandiosa e racional civilização da história estava em colapso, e aqui, por alguma ironia, tudo permaneceu como antes, maravilhoso. E pensar que tudo estava condenado, seria tomado pelo verde, e sobre tudo isso haveria apenas "mitos"...

Comecei a gemer alto. E no mesmo instante senti alguém acariciar carinhosamente o meu ombro.

Era meu vizinho, sentado à minha esquerda. Sua testa era uma enorme parábola careca, nela havia linhas amarelas e rugas ilegíveis. E essas linhas eram sobre mim.

– Eu compreendo, compreendo totalmente – disse ele. – Mas, apesar disso, se acalme: não precisa ficar assim. Tudo se restabelecerá, inevitavelmente se restabelecerá. A única coisa importante é que todos saibam sobre a minha descoberta. Você é o primeiro a quem conto: calculei que não existe infinito!

Olhei para ele de forma selvagem.

– Sim, sim, estou lhe dizendo: não existe infinito. Se o mundo é infinito, então a densidade média da matéria nele deve ser igual a zero. E já que ela não é zero, como sabemos, então, em consequência, o Universo é finito, é uma forma esférica, e o quadrado universal do raio, y^2, é igual à densidade média multiplicada por... Só preciso calcular o coeficiente numérico, e então... Você compreende: tudo é finito, tudo é simples, tudo é calculável; então venceremos filosoficamente, compreende?

Mas você, meu caro, está atrapalhando a finalização do meu cálculo, fica gritando...

Não sei o que me deixou mais impressionado: sua descoberta ou sua firmeza naquele momento apocalíptico: levava nas mãos (percebi apenas agora) um caderno de notas e uma tabela de algoritmos. E compreendi: mesmo que tudo pereça, meu dever (para com vocês, meus queridos leitores desconhecidos) é deixar minhas notas concluídas.

Pedi a ele papel e aqui escrevo estas últimas linhas...

Queria colocar um ponto final, assim como os antigos colocavam uma cruz sobre as sepulturas onde lançavam os mortos, mas subitamente o lápis estremeceu e caiu dos meus dedos...

– Escute – importunei o vizinho. – Sim, escute, estou falando com você! Você precisa, você precisa me responder: onde é que acaba o seu Universo? O que há depois?

Ele não teve tempo de me responder: da superfície, passos pelos degraus...

40ª ANOTAÇÃO

Resumo:

Os fatos. A Campânula. Tenho certeza.

Dia. Claro. O barômetro em 760.

É possível que eu, D-503, tenha escrito estas 314 páginas? Será que algum dia eu senti, ou imaginei ter sentido isso?

A letra é minha. E esta agora também é a mesma letra, mas, felizmente, é apenas a letra. Nenhum delírio, nem metáforas absurdas, nem sentimentos: somente fatos. Porque estou saudável, totalmente, absolutamente saudável. Sorrio e não posso deixar de sorrir: removeram alguma lasca da minha cabeça, ela está leve, vazia. Para ser mais preciso: não está vazia, mas não há nada estranho que me impeça de sorrir (o sorriso é o estado normal de uma pessoa normal).

Os fatos são estes: naquela noite, meu vizinho, que tinha descoberto a finitude do Universo, eu e todos os outros que estavam conosco fomos detidos e levados para o auditório mais próximo (o número do auditório por alguma razão é familiar: 112). Lá, fomos presos às mesas e submetidos à Grande Operação.

No dia seguinte, eu, D-503, apresentei-me ao Benfeitor e contei-lhe tudo o que sabia a respeito dos inimigos da felicidade. Por que isso me pareceu tão difícil antes? É incompreensível. A única explicação: minha antiga doença (a alma).

Naquela mesma noite, sentei-me (pela primeira vez) à mesma mesa com Ele, o Benfeitor, na famosa Câmara de Gás. Eles trouxeram aquela mulher. Na minha presença, ela devia dar o seu testemunho. Ela permaneceu teimosamente em silêncio e sorrindo. Reparei nos seus dentes pontiagudos e muito brancos, e como eram bonitos.

Em seguida, colocaram-na sob a Campânula. O rosto dela ficou muito pálido, e, como seus olhos eram escuros e grandes, foi muito bonito. Quando começaram a extrair o ar da Campânula, ela pôs a cabeça para trás, semicerrou os olhos, os lábios comprimidos, aquilo me lembrava de alguma coisa. Ela olhou para mim, aferrou-se aos braços da cadeira, olhou até que os olhos se fecharam completamente. Então a retiraram e, com o auxílio de eletrodos, rapidamente a reanimaram e de novo a colocaram dentro da Campânula. Repetiram isso por três vezes, e ainda assim ela não disse nenhuma palavra. Os outros que foram trazidos junto com essa mulher mostraram-se mais honestos: muitos deles já começaram a falar na primeira vez. Amanhã todos subirão os degraus da Máquina do Benfeitor.

Não é possível adiar porque no oeste ainda impera o caos, a gritaria, os cadáveres, as feras e, infelizmente, uma quantidade significativa de números que traíram a razão.

Mas, no cruzamento da Avenida 40, conseguimos construir um Muro alto, temporário e elétrico. E tenho esperança de que venceremos. Mais: tenho certeza de que venceremos. Porque a razão deve vencer.

1920

Resenha de *Nós*,
de Ievguêni Ivánovitch Zamiátin

George Orwell

Texto originalmente publicado na revista **Tribune,**
GB, Londres, em 4 de janeiro de 1946.

Alguns anos depois de ouvir falar da existência de *Nós*, de Zamiátin, finalmente um exemplar chegou às minhas mãos – uma das curiosidades literárias da época atual na qual livros são queimados. Pesquisando em *Twenty-Five Years of Soviet Russian Literature* [Vinte e cinco anos de literatura russa e soviética], de Gleb Struve, descobri que sua história foi a seguinte:

Zamiátin, que veio a falecer em Paris em 1937, foi um romancista e crítico russo que publicou alguns livros antes e depois da Revolução [Russa de 1917]. *Nós* foi escrito por volta de 1923 e, embora não trate da Rússia nem tenha relação direta com a política contemporânea – é uma fantasia sobre o século 26 –, teve sua publicação recusada por ser ideologicamente indesejável. Uma cópia do manuscrito conseguiu sair do país, e o livro apareceu em traduções para o inglês, o francês e o tcheco, mas nunca em russo. A tradução inglesa foi publicada nos Estados Unidos, e eu nunca fui capaz de obter um exemplar. Mas exemplares da tradução francesa (cujo título é *Nous Autres*) existem, e finalmente consegui tomar um emprestado. Até agora, posso avaliar que não é um livro excepcional, mas certamente é incomum, e é espantoso que nenhuma editora inglesa tenha sido ousada o suficiente para reeditá-lo.

A primeira coisa que qualquer um notaria a respeito de *Nós* é o fato – nunca mencionado, creio – de que *Admirável mundo novo*, de Aldous Huxley, deve, em parte, originar-se dele. Ambos os livros tratam da rebelião do espírito humano primitivo contra um mundo indolor, mecanizado e racionalizado, e ambas as histórias supostamente se passam daqui a seiscentos anos. A atmosfera dos dois livros é semelhante, e, em linhas gerais, é o mesmo tipo de sociedade que está sendo descrito, embora o livro de Huxley demonstre menos consciência política e seja mais influenciado pelas recentes teorias biológicas e psicológicas.

No século 26, na visão de Zamiátin, os habitantes de Utopia perderam a individualidade tão completamente que somente são conhecidos por números. Vivem em casas de vidro (isso foi escrito antes da invenção da televisão), o que permite que a polícia política, conhecida como os "Guardiões", possa supervisioná-los mais facilmente. Todos vestem uniformes idênticos, e costuma-se fazer referência a um ser humano tanto como "um número" quanto "um unif" (de "uniforme"). Se alimentam de comida sintética, e a recreação habitual é marchar em filas de quatro pessoas enquanto o hino do Estado Único toca em alto-falantes. A intervalos estabelecidos, é permitido, durante uma hora (conhecida como "Hora pessoal"), baixar as cortinas em torno dos apartamentos de vidro. Evidentemente não há casamento, embora a vida sexual não pareça ser totalmente promíscua. Para o ato sexual, todos têm um tipo de talão de bilhetes cor-de-rosa, e o(a) parceiro(a) com quem se passa uma dessas horas reservadas ao sexo assina o canhoto. O Estado Único é governado por um personagem conhecido como Benfeitor, que anualmente é reeleito pela população; a eleição sempre é unânime. O princípio condutor do Estado é que felicidade e liberdade são incompatíveis. No Jardim do Éden, o homem era feliz, mas em sua loucura exigiu liberdade e foi expulso para o ermo. Agora o Estado Único restaurou sua felicidade ao retirar-lhe a liberdade.

Até aqui a semelhança com *Admirável mundo novo* é impressionante. No entanto, embora o livro de Zamiátin seja menos coeso – a trama é um tanto frouxa e episódica, e complexa demais para ser resumida – tem um ponto político que falta no outro. No livro de Huxley, o problema da "natureza humana" é, em certo sentido, resolvido, pois supõe que, por meio de um tratamento pré-natal, medicamentos e sugestão hipnótica, o organismo humano possa se especializar em qualquer modo desejado. Um excepcional cientista é produzido tão facilmente quanto um Ípsilon semi-aleijão, e, em ambos os casos, lida-se facilmente com os vestígios dos instintos primitivos, como o sentimento maternal ou o desejo de liberdade. Ao mesmo tempo, não é explicada a razão pela qual a sociedade deveria ser estratificada do modo elaborado como é descrita. O objetivo não é a exploração econômica; no entanto, o desejo de perseguir e dominar também não parece ser uma razão. Não há fome de poder, sadismo, nem dureza de tipo algum. Aqueles no topo não têm motivos fortes para ficar no topo, e embora todos estejam vagamente felizes, a vida se tornou tão sem sentido que é difícil acreditar que tal sociedade poderia sobreviver.

O livro de Zamiátin, em geral, é mais relevante para a nossa própria situação. Apesar da educação e vigilância dos

Guardiões, muitos dos antigos instintos humanos ainda estão ali. O narrador da história, D-503, embora seja um engenheiro talentoso, é uma pobre criatura convencional, um tipo de Billy Brown of London Town utópico. Ele é constantemente aterrorizado por impulsos atávicos que o dominam. Ele se apaixona (cometendo, sem dúvida, um crime) por uma certa I-330, membro de um movimento de resistência clandestino que, durante algum tempo, é bem-sucedida em conduzi-lo à rebelião. Quando a rebelião irrompe, parece que os inimigos do Benfeitor são, de fato, muito numerosos, e que, além de tramar a derrubada do Estado, eles se entregam, no momento que as cortinas estão abaixadas, a vícios tais como fumar cigarros e beber. D-503 acaba por fim se salvando das consequências de sua própria loucura. As autoridades anunciam a descoberta da causa das recentes desordens: alguns seres humanos sofrem de uma doença chamada imaginação. Agora, o centro nervoso responsável pela imaginação foi localizado, e a doença pode ser curada por meio de um tratamento de raio-X. D-503 é operado e então se torna fácil fazer o que sabia ser sua obrigação desde o início – a saber, denunciar seus cúmplices à polícia. Com total equanimidade, ele observa I-330 ser torturada com gás comprimido sob uma redoma:

> "Ela olhou para mim, aferrou-se aos braços da cadeira, olhou até que os olhos se fecharam completamente. Então a retiraram e, com o auxílio de eletrodos, rapidamente a reanimaram e de novo a co-

locaram dentro da Campânula. Repetiram isso por três vezes, e ainda assim ela não disse nenhuma palavra. Os outros que foram trazidos junto com essa mulher mostraram-se mais honestos: muitos deles já começaram a falar na primeira vez. Amanhã todos subirão os degraus da Máquina do Benfeitor."

A Máquina do Benfeitor é a guilhotina. Há muitas execuções na utopia de Zamiátin. Elas ocorrem publicamente, na presença do Benfeitor, e são acompanhadas pelas odes triunfais recitadas pelos poetas oficiais. A guilhotina, evidentemente, não é aquele antigo e grosseiro instrumento, mas um modelo muito aprimorado, que literalmente liquida a vítima, reduzindo-a a fumaça e uma poça de água límpida em um instante. Com efeito, a execução é um sacrifício humano, e a cena que a descreve recebe deliberadamente a cor das sinistras civilizações escravocratas do mundo antigo. É esta apropriação intuitiva do lado irracional do totalitarismo – sacrifício humano, crueldade como um fim em si, idolatria de um Líder a quem se atribuiu características divinas – que faz do livro de Zamiátin superior ao de Huxley.

É fácil entender o porquê da publicação do livro ter sido recusada. O diálogo a seguir (que editei ligeiramente) entre D-503 e I-330 teria sido suficiente para fazer os lápis azuis* trabalharem:

---

* O lápis azul se refere normalmente à cor utilizada por editores para anotar originais. Neste caso, Orwell provavelmente se refere à censura. [N. de E.]

– Você compreende que o que está sugerindo é revolução?

– Certamente, é revolução. Por que não?

– Porque não pode haver uma revolução. Nossa revolução foi a última e não pode haver outra. Todos sabem disso.

– Meu querido, você é matemático; me diga: qual é o último número?

– Mas isso é absurdo. Números são infinitos. Não pode haver último.

– Então por que você fala sobre a última revolução?*

Há outras passagens semelhantes. No entanto, é bem possível que Zamiátin não visasse o regime soviético como alvo particular de sua sátira. Escrevendo na mesma época da morte de Lênin, ele talvez não tivesse em mente a ditadura de Stalin; e as condições na Rússia de 1923 não eram tais que fariam alguém se revoltar contra elas pelo fato de a vida estar se tornando segura e confortável demais. O que Zamiátin parece visar não é um país em particular, mas os objetivos inferidos da civilização industrial. Eu não li seus outros livros, mas soube, por Gleb Struve, que Zamiátin passou alguns anos na Inglaterra e escreveu algumas sátiras ferozes do estilo de vida inglês. Em *Nós*, é evidente sua forte tendência ao primitivismo. Preso pelo governo czaris-

---

* Aqui se traduziu o trecho editado por Orwell. O trecho integral se encontra na página 230 desta edição. [N. de E.]

ta, em 1906, e posteriormente pelos bolcheviques, em 1922, no mesmo corredor da mesma prisão, Zamiátin tinha razão em desprezar os regimes políticos sob os quais viveu, mas seu livro não é meramente expressão de um descontentamento. Com efeito, é um estudo da Máquina, o gênio que o homem impensadamente libertou da lâmpada e não conseguiu colocar de volta. Este é um livro para se buscar quando uma versão em língua inglesa estiver disponível.

1946

Carta a Stalin

Enviada por Zamiátin em 1931

Prezado Yosif Vissarionovich,

O autor da presente carta, condenado ao castigo mais elevado, apela ao senhor com um pedido de mudança de punição.

Provavelmente, o senhor conhece o meu nome. Para mim, como escritor, ser privado de escrever é como uma sentença de morte. Ainda assim a situação que se delineou é tal que eu não posso continuar meu trabalho, pois nenhuma atividade criativa é possível em uma atmosfera de perseguição sistemática, que aumenta de intensidade ano após ano.

Não tenho intenção de me apresentar como imagem da inocência ferida. Sei que, entre as obras que escrevi durante os primeiros três ou quatro anos após a Revolução, havia algumas que poderiam oferecer um pretexto para ataques. Eu sei que tenho o hábito altamente inconveniente de dizer o que eu considero ser a verdade em vez de dizer o que pode ser conveniente no momento. Em particular, nunca disfarcei minha atitude em relação ao servilismo literário, à bajulação e mudanças de cor camaleônicas: eu senti, e ainda sinto, que isso é igualmente degradante tanto para o escritor quanto para a Revolução. Mencionei esta questão em um de meus artigos (publicado na revista *Dom iskusstv*, número 1, 1920*) de forma que muitas pessoas consideraram rude e ofensiva, e isso serviu como um sinal na época

---

* A referência é ao artigo "I am afraid", publicado em *Dom iskusstv*, número 1, que trazia na capa o ano de 1920, mas que foi publicada em janeiro de 1921. [N. de T.]

para o lançamento de uma campanha contra mim em jornais e revistas.

A campanha continuou, sob diferentes pretextos, até hoje, e finalmente resultou em uma situação que eu descreveria como um tipo de fetichismo. Assim como os cristãos criaram o diabo como uma conveniente personificação de todo o mal, os críticos me transformaram no demônio da literatura soviética. Cuspir no diabo é considerado uma boa ação e todos cospem da melhor forma que podem. Em cada uma das minhas obras publicadas, esses críticos inevitavelmente descobriram uma intenção diabólica. Em suas buscas, eles chegaram ao cúmulo de me investir com dons proféticos: assim sendo, em uma de minhas histórias ("God"*) publicada na revista *Letopis,* em 1916, um crítico foi capaz de encontrar "uma caricatura da revolução associada à transição para a NEP** ; na história "The Healing of the Novice Erasmus"*** , escrita em 1920, outro crítico (Mashbits-Verov) discerniu "uma parábola sobre os líderes que ficaram mais sábios após a NEP". Não importa qual seja o conteúdo de uma obra, o mero fato de ter a minha assinatura se tornou razão suficiente para declará-la criminosa. Em março passado, o *Oblit* [Gabinete Literário Regional], de Leningrado, deu alguns passos para eliminar qualquer dúvida que res-

---

*   "Deus". [N. de E.]

**   Nova Política Econômica. [N. de T.]

*** "A cura do noviço Erasmo", em livre tradução para o português. [N. de E.]

tava acerca disso. Eu editei a comédia *A escola do escândalo*, de Sheridan, e escrevi um artigo sobre sua vida e obra para a Academy Publishing House. Desnecessário dizer que nada que eu escrevi ou pudesse ter escrito neste artigo era de natureza escandalosa. No entanto, o *Oblit* não apenas baniu o artigo, como proibiu a editora de mencionar meu nome como editor da tradução. Foi somente depois da minha reclamação a Moscou, e depois de o *Glavlit* [Gabinete Literário Central] evidentemente ter sugerido que tais ações ingenuamente abertas, são, no fim das contas, inadmissíveis, que foi dada a permissão para publicar o artigo e até o meu nome criminoso.

Mencionei este fato porque isso mostra a atitude em relação a mim de forma completamente exposta e, por assim dizer, quimicamente pura. De um amplo leque de fatos semelhantes, mencionarei mais um apenas, envolvendo não um artigo ocasional, mas uma peça inteira na qual trabalhei por quase três anos. Eu estava confiante de que esta peça (a tragédia *Átila*) finalmente silenciaria aqueles que estavam decididos a me transformar em um tipo de obscurantista. Eu parecia ter todas as razões para tal confiança. Minha peça havia sido lida numa reunião do Comitê Artístico do Teatro Dramático Bolshoi, de Leningrado. Entre os presentes na reunião estavam os representantes de dezoito fábricas de Leningrado. Aqui estão trechos de seus comentários (extraídos das minutas da reunião de 15 de maio de 1928).

O representante da Planta Volodarsky disse: "É uma peça de um autor contemporâneo, que trata da questão da luta de classes na Antiguidade, que era análoga à da nossa própria época... Ideologicamente, a peça é bastante aceitável... Ela cria uma impressão forte e elimina a crítica de que os dramaturgos contemporâneos não produzem boas peças".

O representante da Fábrica Lênin observou o caráter revolucionário da obra e afirmou que "em seu nível artístico, a peça me lembra as obras de Shakespeare... É trágica, cheia de ação e vai prender a atenção do público".

O representante da Planta Hidromecânica considerou que "cada momento da peça é forte e interessante", e recomendou sua estreia no aniversário do teatro.

Vamos dizer que os camaradas proletários exageraram em relação a Shakespeare. No entanto, Maksim Górki escreveu que considera a peça "altamente valiosa tanto em sentido literário quanto social" e que "o tom e a trama heroica são muito úteis para a nossa época". A peça foi aprovada para ser produzida pelo teatro; passou pelo *Glavrepertkom* [Comitê de Repertório Central]. E, depois disso, ela foi exibida para o público de trabalhadores que a teve em tão alta estima? Não. Posteriormente, a peça, já semi-ensaiada pelo teatro, já anunciada em cartazes, foi banida por insistência do *Oblit*, de Leningrado.

A morte da minha tragédia *Átila* foi uma verdadeira tragédia para mim. Deixou bem claro que qualquer tentativa de modificar minha situação seria vã, em especial, em vista do conhecido caso que envolveu meu romance *Nós* e

Mahogany* de Pilniak, pouco depois. Sem dúvida, qualquer falsificação é permitida na luta contra o diabo. E assim o romance, escrito nove anos antes, em 1920, foi posto lado a lado com *Mahogany* e tratado como a minha última e mais recente obra. A caçada humana organizada na época não teve precedentes na literatura soviética e até virou notícia na imprensa estrangeira. Foi feito todo o possível para fechar todos os caminhos para as minhas novas obras. Eu me tornei objeto de temor para meus antigos amigos, editoras e teatros. Meus livros foram banidos das livrarias. Minha peça *The Flea*** , apresentada com sucesso pelo Second Studio, do Teatro de Arte de Moscou, durante quatro temporadas, foi tirada do repertório. A publicação das minhas obras completas pela Federatsiya Publishing House foi suspensa. Todas as editoras que tentaram lançar minhas obras imediatamente foram postas na fogueira; isso aconteceu com a Federatsiya, Zemlya i Fabrika e, sobretudo, com a Editora dos Escritores de Leningrado. Esta última se arriscou a me manter em seu comitê editorial por mais um ano e ousou fazer uso de minha experiência literária ao me confiar a edição estilística das obras de jovens escritores, inclusive comunistas. Na primavera passada, a sucursal da RAPP*** , em Leningrado, foi bem-sucedida em me forçar a sair do comitê, pondo um fim a esta obra. A *Literary Gazette*

---

*   *Mogno*. [N. de E.]

**   *A pulga*. [N. de E.]

***   Associação Russa dos Escritores Proletários. [N. de E.]

anunciou este feito, acrescentando de modo inequívoco: "A editora deve ser preservada, mas não para os Zamiátins". A última porta para o leitor foi fechada para Zamiátin. A sentença de morte do escritor foi pronunciada e publicada.

No código penal soviético, a punição alternativa à morte é a deportação do criminoso de seu país. Se eu for verdadeiramente um criminoso que merece punição, não creio que mereça uma punição tão grave quanto a morte literária. Por isso, peço que esta sentença seja comutada pela deportação da URSS e que seja permitido à minha esposa me acompanhar. Porém, se eu não sou um criminoso, rogo que me seja permitido ir para o exterior temporariamente com a minha esposa, ao menos, por um ano, com o direito de retornar assim que se tornar possível, em nosso país, servir grandes ideias na literatura sem me encolher perante homens pequenos; assim que haja, no mínimo, uma mudança parcial na visão dominante acerca do papel do artista literário. E estou confiante de que esse tempo está próximo, pois a criação da base material inevitavelmente será seguida pela necessidade de construir a superestrutura – uma arte e uma literatura verdadeiramente dignas da Revolução.

Sei que a vida no exterior será extremamente difícil para mim, pois não posso me tornar parte do movimento reacionário lá; isto é suficientemente atestado pelo meu passado (integrante do Partido Social-Democrata Russo [Bolchevique], na época czarista, preso, duas deportações, julgamento na época da guerra por uma novela antimilitarista). Sei que, enquanto tenho sido proclamado um reacionário aqui por causa do meu hábito de escrever de acordo com a minha consciência em vez de escrever de acordo com ordens, cedo ou tarde, provavelmente serei declarado bolchevique pela mesma razão, no exterior. Mas, mesmo sob as condições mais difíceis, não serei condenado ao silêncio; serei capaz de escrever e publicar, até, se preciso for, em outra língua que não o russo. Se as circunstâncias tornarem impossível (temporariamente, espero) que eu seja um escritor russo, talvez eu seja capaz de me tornar, por algum tempo, um escritor inglês, tal como o polonês Joseph Conrad, sobretudo, porque eu já escrevi sobre a Inglaterra em russo (a novela satírica *The Islanders* etc.) e, para mim, não é muito mais difícil escrever em inglês do que em russo. Iliá Eremburg, embora continue a ser um escritor soviético, há muito tempo trabalha, sobretudo, para a literatura europeia – para a tradução em línguas estrangeiras. Por que então não me seria permitido fazer o que a Eremburg é permitido? E aqui eu poderia mencionar outro nome: o de Boris Pilniak. Ele dividiu o papel de diabo comigo; tem sido o alvo principal dos críticos; ainda assim, lhe foi permitido viajar para o exterior para descansar desta perseguição. Por que não deveria ser oferecido a mim o que foi oferecido a Pilniak?

Eu poderia ter tentado justificar meu pedido de permissão para ir ao exterior com outras razões também – mais corriqueiras, embora igualmente válidas. Para me livrar de uma antiga doença crônica (colite), eu tenho que ir para o exterior atrás de cura; minha presença é necessária no exterior para ajudar a montar duas das minhas peças, traduzidas para o inglês e o italiano (*The Flea* e *The Society of Honorary Bell Ringers**, já produzidas em teatros soviéticos); além disso, a produção planejada dessas peças vai tornar possível não sobrecarregar o Comissariado Popular de Finanças com o pedido de conversão de moeda. Todos esses motivos existem, mas não quero omitir que a razão básica para a minha solicitação de permissão para viajar ao exterior com minha esposa é a posição sem esperança de escritor aqui, a sentença de morte que foi pronunciada contra mim em casa.

A extraordinária consideração que o senhor teve com outros escritores que recorreram ao senhor me traz esperança de que meu pedido também seja aceito.

Ievguêni Ivánovitch Zamiátin

Junho de 1931

---

* *A pulga* e *A sociedade dos sineiros honorários*. [N. de E.]

TIPOGRAFIA:
Domain
Domain Sans [texto]
Fortescue [entretítulos]

PAPEL:
Pólen Soft 80 g/m^2 [miolo]
Cartão Supremo 250 g/m^2 [capa]

IMPRESSÃO:
Rettec Artes Gráficas e Editora Ltda. [março de 2021]
1ª EDIÇÃO: fevereiro de 2017 [6 reimpressões]